YR WY1
HONNO

CYFRES O FYFYRDODAU
YN CANOLBWYNTIO AR
YR WYTHNOS FAWR

GAN
IVOR THOMAS REES

CYHOEDDIADAU'R
GAIR

I
Delyth,

ac i'r eglwysi y cefais y fraint o fod yn perthyn iddynt -
Eglwys Carmel, Treherbert, fy nghartref ysbrydol –
eglwysi fy ngweinidogaeth -
Eglwys Y Wern, Aberafan
Eglwys Gynulleidfaol / Ddiwygiedig Unedig Clapham
Eglwys Ddiwygiedig Ewell
Eglwys Ddiwygiedig Trefansel, Abertawe
Eglwys Ddiwygiedig Unedig Capel Bamford
ac Eglwys Ddiwygiedig Unedig Bethel, Parc Sgeti, Abertawe -
lle cawsom ymgartrefu ar ôl ymddeol.

ⓗ Cyhoeddiadau'r Gair 2011

Testun gwreiddiol: Ivor Thomas Rees

Golygydd Cyffredinol: Aled Davies

ISBN 978 1 85994 654 2
Argraffwyd ym Mhrydain.

Cyhoeddwyd gan
Cyhoeddiadau'r Gair, Cyngor Ysgolion Sul Cymru,
Ael y Bryn, Chwilog, Pwllheli, Gwynedd LL53 6SH.

CYNNWYS

Cyflwyniad

Pan symudais i fyw i Abertawe ar ddechrau wythdegau y ganrif ddiwethaf, yr oedd y Parchg Ivor Rees yn weinidog yn Nhrefansel. Daethom yn gyfeillion ymhell cyn hynny, a fi gafodd y fraint o weinyddu ym mhriodas Delyth ac yntau, pan oedd yn weinidog yr Eglwys Annibynnol Gymraeg yn y Wern, Aberafon. Ond yn yr wythdegau cefais gyfle i werthfawrogi peth o'i waith fel bugail eneidiau. Droeon pan ddelai'r Wythnos Fawr heibio, ymunais yn y Myfyrdodau Beiblaidd y byddai'n eu harwain yn Saesneg yn yr Eglwys Ddiwygiedig Unedig oedd dan ei ofal. Yn ddiffael cefais y cyfarfodydd hynny dan ei arweiniad medrus a defosiynol, yn foddion gras, ac yn baratoad a chymorth ardderchog i gofio drachefn ddigwyddiadau yr wythnos olaf ym mywyd yr Arglwydd Iesu – ei fynediad i Jerwsalem ar Sul y Palmwydd, ei weithred yn glanhau'r Deml, yn golchi traed ei ddisgyblion, yn torri'r bara ar nos Iau Cablyd, ei ing yng Ngethsemane , ei draddodi i'w groeshoelio a'i farw ar y pren ar Wener y Grôg, a'i gladdu y noson drom honno. Yr oedd y myfyrio dwys a'r chwilio calon, yn y ffydd i'r cyfan ddigwydd drosom ni, a thros lawer, yn tywys pechadur i ddathlu bore'r Pasg a dydd yr Atgyfodiad mewn gorfoledd.

Yn y tudalennau sy'n dilyn y mae Ivor Rees yn cofnodi'n ofalus dystiolaeth yr efengylau i'r digwyddiadau hyn a sawl peth arall a gymerodd le yn yr wythnos fythgofiadwy honno, a rhan pobol ddigon tebyg i bob yr un ohonom ni yn y cyfan. Mae ganddo sylwadau cynnil a chraff yn bwrw goleuni newydd yn aml ar ambell ddigwyddiad. A chawn hefyd ei arweiniad gwerthfawr pan dry ei olygon at y Dyrchafael a dyfodiad yr Ysbryd Glân ar ddydd y Pentecost.

Un o freintiau pennaf gweinidog yr efengyl yw agor yr Ysgrythurau; eu hegluro a'u cymhwyso i sefyllfa ei wrandawyr. Rhoes awdur y myfyrdodau hyn ei orau i'r dasg bwysig hon dros lawer o flynyddoedd bellach, a thybiaf y bydd darllenwyr y penodau hyn yn elwa'n fawr wrth ymlwybro drwyddynt. Yn sicr, caiff y sawl fydd â chyfrifoldeb i rannu'r hanes achubol a'r stori fawr hon ag eraill, trwy bregeth neu fyfyrdod neu ddosbarth Beiblaidd, help i wneud hynny yn y tudalennau hyn.

Derwyn Morris Jones

Rhagair

Yn ystod wythnos y Pasg 1956, treuliais rai dyddiau yn ninas Rhydychen. Ymwelais â siop enwog *Blackstone's* lle prynais gopi o ddau lyfr o eiddo Eglwys yr Alban, wedi'u cyhoeddi gan Wasg Prifysgol Rhydychen. Cafodd y ddau ddylanwad mawr arnaf, sef *'The Book of Common Order'*, a gyflwynodd i mi gyfoeth a harddwch addoliad y traddodiad Diwygiedig, a *'Prayers for the Christian Year'*, â'i ffurfiau a'i weddïau ar gyfer prif wyliau'r Eglwys Gristnogol, ac yn arbennig y 'Gwasanaeth Naw Llith' a 'Charolau ar Gyfer y Nadolig' a ffurfiau ar gyfer bob dydd o'r 'Wythnos Fawr'.

Ym mis Hydref y flwyddyn honno, cefais fy ordeinio i'r weinidogaeth a'm sefydlu yn weinidog yn Eglwys Annibynnol y Wern, Aberafan. Trefnwyd gwasanaeth 'Llithoedd a Charolau', wedi ei seilio ar awgrymiadau'r llyfr, adeg y Nadolig y flwyddyn honno ac thros weddill y deugain mlynedd o'm gweinidogaeth. Cymerir oedfaon tebyg yn ganiataol ym mhlith Anghydffurfwyr Cymru erbyn hyn, ond yr oeddent yn gymharol newydd bryd hynny. Euthum at y diaconiaid yn ystod y Gwanwyn canlynol gan awgrymu cadw'r 'Wythnos Fawr' yn ôl patrwm y Llyfr. Eu cyngor caredig hwythau oedd cyfyngu'r fenter i dair noson yn unig. Felly y bu yn 1957, ond rhwng 1959 -1996, yr arfer yn yr eglwysi lle bûm yn gweinidogaethu yn eu plith oedd cynnal gwasanaeth bob nos rhwng nos Lun a nos Iau o'r 'Wythnos Fawr', gan ofyn i bob cymdeithas a oedd yn perthyn i'r Achos beidio â chyfarfod er mwyn rhoi cyfle i'r aelodau benderfynu ai mynychu ai peidio, heb bwysau tynfa rhwng dau ddigwyddiad o eiddo'r eglwys.

Yn fy nhyb i, dyma un o'r pethau pwysicaf a wneuthum yn ystod fy holl weinidogaeth o ddeugain mlynedd, sef creu cyfle i'n pobl gael llonydd o brysurdeb bywyd eglwysig er mwyn dod i fyfyrio dros y rhan ganolog hon o'r Ffydd Gristnogol. Trafodwyd nifer o destunau addas dros y blynyddoedd gan ddychwelyd, dro ar ôl tro, at ddyddiadur yr Wythnos yn ôl y pedwar Efengylydd.

Rhydd y gyfrol hon gyfle i mi fynegi fy ngwerthfawrogiad o barodrwydd pobl y Wern, Aberafan, i dorri tir newydd a chefnogi gweinidog ifanc a oedd yn ceisio gwireddu rhai o'i freuddwydion. Diolch sydd gennyf hefyd i'r cynulleidfaoedd eraill a'm derbyniodd i'w plith, sef Eglwysi Diwygiedig Clapham (Llundain), Ewell (Surrey), Trefansel (Abertawe) a Chapel Bamford (ger Rochdale).

Ym mis Awst 2009, aeth Delyth a minnau am ddiwrnod i Gynhadledd Ewropeaidd CWM yn Llangrannog. Arweiniwyd yr astudiaethau Beiblaidd gan Lawrence Moore, Cyfarwyddwr Canolfan yr Eglwys Ddiwygiedig Unedig yn Windermere, yn ei ffordd feistrolgar arferol. Pwysleisiodd y pwysigrwydd o ddarllen hanes y Croeshoelio ym mhob un o'r pedair efengyl yn unigol, gan anghofio'r lleill dros dro, er mwyn cael gafael ar y neges arbennig sydd gan yr awdur ar gyfer ei ddarllenwyr. Cytunaf yn llwyr ag ef. Ar yr un pryd, credaf fod yna le hefyd, ochr yn ochr â hynny, i geisio creu dyddiadur o ddigwyddiadau'r wythnos olaf ym mywyd Iesu Grist. Rwyf wedi derbyn bendith gyda'r naill ffordd o fyfyrio a'r llall. Ond, fy mhrofiad fel Cristion ac fel gweinidog oedd fy mod innau a llawer o bobl eraill wedi cael ein bendithio'n fawr iawn dros y blynyddoedd wrth i ni blymio i ddyfnderoedd hanes yr wythnos arbennig hon, nid yn unig o blith holl wythnosau'r flwyddyn, ond hefyd o blith holl wythnosau hanes y ddaear.

Cyflwynaf yn ostyngedig y gyfrol hon i'r sawl a fydd yn barod i'w darllen fel arwydd o ddiolch i Dduw am ei ras ac i'r pum eglwys y cefais y fraint o fod yn weinidog arnynt, am eu caredigrwydd a'u cefnogaeth.

Ivor Thomas Rees

Un o blant Cwm Rhondda yw Ivor Thomas Rees, yn fab i lowr, a'i dadcu yn baffiwr o fri yn y cymoedd – y Parch. H. T. Jacob yn "sparring partner" iddo yn siop y gôf, sef tad H. T. Jacob, ar ben Pwll Abergorci.

Cafodd ei addysg yn Ysgolion Penyrenglyn; Ysgol Sir y Porth; Coleg y Brifysgol, Abertawe – lle dysgodd siarad Cymraeg ac ymateb i alwad i'r weinidogaeth cyn mynd i Goleg Coffa Aberhonddu.

Ordeiniwyd ef yn 1956. Bu'n weinidog ar: Eglwys Annibynnol y Wern, Aberafan; Eglwysi Diwygiedig Unedig – Clapham, Llundain; Ewell, Surry; Trefansel, Abertawe; Capel Bamford, Bamford ger Rochdale, cyn ymddeol i Sgeti, Abertawe yn 1996.

Priododd Delyth Thomas, athrawes o Bort Talbot; ac mae ganddo un mab, Dafydd, sy'n byw yn Blackpool; ac un ferch, Lythan, sy'n weinidog yn Romford, a'i gŵr, Phil, sy'n weinidog yn Upminster; ac mae ganddo dri o wyrion.

RHAN GYNTAF – YR WYTHNOS

1. DYDD SUL - DYDD Y CYHOEDDI

Darllen: Marc 11: 1-11,
Mathew 21: 1-11,
Luc 19: 28-40, Ioan 12: 12-29

'*Gorchymynnodd iddynt beidio â dweud wrth neb*' (Marc 7: 36). Dywedwyd rhywbeth tebyg gan Iesu deirgwaith yn Efengyl Marc. Er i'w ddymuniad gael ei anwybyddu, erys y ffaith iddo ddymuno osgoi cyhoeddusrwydd a chadw popeth yn dawel, am nad oedd 'ei amser' wedi cyrraedd.

Rhyfedd felly yw darllen am ddigwyddiadau dydd cyntaf yr wythnos honno. Cefnodd ar ddirgelwch a distawrwydd wrth iddo gynllunio gorymdaith gyhoeddus, swnllyd. Mae'n gwbl amlwg bod amseriad a lleoliad yr orymdaith wedi eu dewis gyda gofal mawr, a bod trefniadau manwl wedi eu gwneud ymlaen llaw.

Jerwsalem oedd nod ei orymdaith, a'r ddinas yn tynnu pererinion o bob rhan o'r wlad ac ymerodraeth Rhufain, a phlant y Diaspora Iddewig yn dychwelyd adref ar ymweliad. Wrth i'r pererinion droi yn ôl tuag adref, byddai sôn a siarad am holl ddigwyddiadau wythnos y Pasg ym mhob pentref a thref ar y ffordd, a'r straeon yn cael eu hadrodd a'u hailadrodd droeon.

Diwrnod cyntaf wythnos y Pasg Iddewig oedd y dyddiad - y diwrnod a elwir gennym yn 'Sul y Blodau'. Un cwestiwn mawr fyddai ar feddwl y pererinion hyn wrth iddynt ddod at y ddinas a'i theml, '*Ai yn awr y daw'r Meseia*?' Byddai pawb - offeiriaid, athrawon y Gyfraith, y Selotiaid a'r werin bobl - yn hiraethu am glywed iddo ddod. A rhaid i un person arall fod yno hefyd, sef rhaglaw Rhufeinig talaith Jwdea a'i filwyr, cynrychiolwyr Cesar, dyn grymusaf y byd. Adeg oedd hon hefyd pan fyddai teimladau gwladgarol yn berwi i'r wyneb i herio Rhufain, a'r Rhufeiniaid yn bwriadu dangos eu grym i bawb.

Gwawriodd y dydd o'r diwedd. Roedd Iesu a'i ddisgyblion yn aros ym mhentref Bethania, a oedd yr ochr arall i Fynydd yr Olewydd i'r ddinas, gan letya yn nhw Simon y Gwahanglwyf, gyda Martha, Mair a Lasarus. Saif Bethania hyd heddiw ar y briffordd ddwyreiniol i Jerwsalem o'r gogledd, ar hyd Dyffryn yr Iorddonen. Byddai llawer iawn o bererinion o Galilea yn rhodio'r ffordd honno drwy'r pentref, ac yn arbennig ar y Sul, byddai torfeydd mawrion yn cerdded y ffordd.

Ffarweliodd Iesu â'i ffrindiau a'r pentref yn gynnar ar fore cyntaf yr wythnos a dringo'r bryn at y pentref nesaf, sef Bethphage, ar ffin fwrdeistrefol dinas Jerwsalem. Danfonodd ddau ddisgybl o'i flaen i gasglu asyn a oedd yn barod yno ar ei gyfer yno. 'Y mae ar y Meistr ei angen' oedd y cyfrinair, a chawsant ddod â'r anifail yn gwbl ddidrafferth. Bwriodd y disgyblion eu mentyll ar yr asyn ac eisteddodd Iesu arno. Dyma'r tro cyntaf i ni gael sôn amdano'n teithio ar gefn anifail; cyn hyn, cerddodd i bobman. Aeth yr anifail allan yn dawel i'r ffordd ac i ganol y pererinion. Nid oedd angen iddo ddweud dim wrth y dorf. Llefarodd ei weithred yn gwbl eglur a'r dorf yn ymateb ar unwaith. Mudchwarae o ddifrif sydd yma, gan ddefnyddio darluniau o'r Hen Destament: 'Edrychwch, gwrandewch,' meddai, 'Gwelwch, clywch!' Mae'r daith symbolaidd hon i Jerwsalem ar hyd godrai Mynydd yr Olewydd yn llawn arwyddion a negeseuon.

Ni eisteddodd neb erioed ar yr asyn hwn, ac fel y fuwch yn y seremoni glanhau, 'heb unrhyw ddiffyg na nam arni, ac na fu erioed dan iau' (Numeri 19: 2). Mae'n gwbl addas i frenin farchogaeth arno. Yn yr un modd ar ddiwedd yr wythnos, 'gosodwyd ef mewn bedd wedi ei naddu lle nad oes neb hyd hynny wedi gorwedd' (Luc 23: 53). Yn ôl Mathew, cyflawni proffwydoliaeth Secharia 9: 9-17 sydd yma: 'Llawenha'n fawr ferch Seion, bloeddia'n uchel, ferch Jerwsalem. Wele dy frenin yn dod atat a buddugoliaeth a gwaredigaeth, yn ostyngedig ac yn marchogaeth ar asyn, ar ebol llwdn asen. Tyr ymaith y cerbyd o Effraim a'r meirch o Jerwsalem; a thorrir ymaith y bwa rhyfel. Bydd yn siarad heddwch â'r cenhedloedd, bydd ei lywodraeth o fôr i fôr, o'r Ewffrates hyd eithaf y ddaear.'

Pwy oedd 'Merch Seion'? Seion oedd mynydd sanctaidd Jerwsalem a 'Merch' oedd enw barddol y proffwydi ar y tlodion hyn, y rhai dibwys. Neges i'r israddol sydd yma: mae'r Meseia ar ei ffordd at dlodion a phobl ddibwys y llawr. Marchogodd Iesu i'w canol ar gefn asyn, eu Brenin yn dod mewn hedd. Anifail rhyfel oedd y ceffyl, anifail estron o'r Aifft; asynnod oedd gan yr Iddewon. Oni farchogodd y Barnwyr o'u cwmpas ar gefn asynnod? Arwydd bod brenin yn dod i ddial neu i ryfela byddai ei weld yn marchogaeth ar geffyl; dod mewn heddwch fyddai Brenin ar gefn asyn.

Deallodd y dorf ystyr ei weithred ar unwaith gan ymuno ynddi, gyda rhai yn gosod eu mentyll ar y ffordd ac eraill yn taenu canghennau palmwydd o'i flaen, arwyddion Beiblaidd eglur eto. Disgrifia 2 Brenhinoedd 9: 13, gyhoeddi Jehu yn Frenin Israel: *"Yna cipiodd pob un yn ei ddilledyn a'i roi dano ar ben y grisiau, a chwythu utgorn a dweud, 'Jehu sydd frenin!"* Yn 1 Maccabeaid 13: 51, yn yr Apocryffa, ceir disgrifiad o Simon Macabews yn mynd i mewn i Jerwsalem ar ôl un o'i fuddugoliaethau mawr: *'Aeth yr Iddewon i mewn i'r ddinas â chytgan o fawl a chwifio cangau o'r palmwydd, gyda liwtiau, symbalau a sitherau, gydag emynau ac anthemau, i ddathlu eu hymwared o elyn cryf.'* Gwaeddodd y dorf, *'Hosanna! Bendigedig yw'r un sy'n dod yn enw'r Arglwydd. Bendigedig yw'r deyrnas sy'n dod, teyrnas ein tad Dafydd. Hosanna yn y goruchaf!'* (Marc 11: 9). Daeth brawddeg gyntaf y dorf o Salm 118: 26, a'r olaf o'r Salmau Hallel; a chawsant eu canu ar y gwyliau arbennig. Cred rhai i'r Salm hon gael ei hysgrifennu i ddathlu buddugoliaeth Jwdas Macabews dros Antiochiws Epiffanes, Brenin Syria (a geisiodd ddileu Iddewiaeth a throi'r genedl yn Roegaidd, gan halogi'r Deml) yn y flwyddyn 163 CC. Bryd hynny, glanhawyd ac ail-gysegrwyd y Deml. Os felly, cân i gyfarch concwerwr yw'r Salm hon. *'Gwared ni'* neu *'Achub ni'* yw ystyr wreiddiol y gair *'Hosanna'*, ond erbyn amser Iesu roedd y gair wedi ei gysylltu â dyfodiad y Meseia. Cafodd Iesu ei groesawu gan bobl yn chwifio canghennau palmwydd a'i gyfarch fel Mab Dafydd, yr un a oedd i ail-sefydlu ei deyrnas.

Cyrhaeddodd pawb drothwy'r Deml ac aeth Iesu i mewn. I fynd yn ôl at Salm 118: 26-27: *"Bendigedig yw'r un sy'n dod yn enw'r Arglwydd. Bendithiwn chwi o dŷ'r Arglwydd. Yr Arglwydd sydd Dduw, rhoes oleuni i ni. Â changau ymunwch yn yr orymdaith hyd at gyrn yr allor."* Yr oedd yna ddisgwyl i'r Meseia ddod i'r Deml, onid proffwydodd Malachi: *"Wele fi'n anfon fy nghennad i baratoi y ffordd o'm blaen; ac yn sydyn fe ddaw'r Arglwydd yr ydych yn ei geisio i'w deml; y mae cennad y cyfamod yr ydych yn hoff ohono yn dod,' medd yr Arglwydd. 'Pwy all ddal dydd ei ddyfodiad, a phwy a saif pan ymddengys?'* Dod y mae'r dyn hwn ar gefn asyn, gan hawlio ei le fel Eneiniog Duw a herio'r sefydliad crefyddol a gwleidyddol, i gyhoeddi ei hawl i lanhau'r Deml, fel y gwnaeth Jwdas Macabews. Ond, yn wahanol i Macabews, hawlio calonnau dynion y mae Iesu, nid gorsedd eu cenedl. Llwyddodd i wneud hynny yn y ffordd ddramatig symbolaidd hon gan sicrhau iddo'i hun y cyhoeddusrwydd mwyaf posibl. Yn ddiau, sicrhaodd sylw, nid ei gefnogwyr yn unig, ond hefyd rhai na wyddai dim amdano, yn ogystal â sylw ei elynion.

Yn y Deml, edrychodd o'i gwmpas ar bopeth oedd yno - torfeydd o bererinion ffyddlon, syml, marchnad yr archoffeiriaid yn gwerthu anifeiliaid i'w haberthu a chyfnewidfeydd yr archoffeiriaid ar gyfer cael arian 'sanctaidd' y Deml fel offrwm. Wedyn, aeth yn ôl i'r llety ym Methania gyda'i ddisgyblion i aros yno dros nos.

Gweddi:
Bendigedig yw'r un sy'n dod yn enw'r Arglwydd.
Arglwydd Dduw mewn mawrhydi, gwir Frenin nef a llawr,
dy awydd di yw teyrnasu yng nghalonnau dynion.
Cynorthwya ni i roi ein hunain yn ddiatal
i'r hwn a ddaeth i Jerwsalem ar gefn asyn a chael coron ddrain;
canys yn awr y mae yn eistedd gyda thi mewn gogoniant,
i deyrnasu byth bythoedd. Amen.
(Roger Pickering)

2. DYDD LLUN ... DYDD Y GLANHAU
Y FFIGYSBREN A'R DEML

Darllen: Marc 11: 12-26

Ar fore Llun aeth Iesu a'i gyfeillion yn ôl dros Fynydd yr Olewydd i Jerwsalem. Ar y ffordd, cerddasant heibio i ffigysbren yn llawn o ddail, golygfa anghyffredin yr amser hynny o'r flwyddyn. *'Dyma ffeithiau ynglwn â'r ffigysbren. Tua diwedd mis Mawrth, mae'r dail yn dechrau ymddangos neu o fewn wythnos mae'r deiliant yn gyflawn. Digwyddiad sy'n cyd-fynd â hyn yw ymddangosiad cnwd o ddyrnau bychain, sydd weithiau'n ymddangos o flaen y dail, nid y gwir ffigys ond math o ragredegydd cynnar. Tyfant i faint almon, a chael eu bwyta gan werinwyr ac eraill â chwant bwyd arnynt. Syrthiant i'r llawr wrth iddynt aeddfedu'.*[1]

Defnyddir y symbol o 'felltithio'r ffigysbren' nifer o weithiau yn yr Hen Destament fel arwydd o farn Duw ar ei bobl, megis yn Jeremia 8: 13: *"Pan gasglwn hwy, medd yr Arglwydd, nid oedd grawnwin ar y gwinwydd na ffigys ar y ffigysbren."* Hefyd, yn Hosea 2: 12: *"Difethaf ei gwinwydd a'r ffigyswydd, y dywedodd amdanynt, Dyma fy nhal, a roes fy nghariadon i mi."* Defnyddia'r Salmydd yr un symbol (Salm 105: 33): *"Trawodd y gwinwydd a'r ffigyswydd..."*

Ymffrost oedd gan y ffigysbren hwn, *'Edrychwch ar fy nail. Dewch a bwyta fy ffrwyth'.* Ond nid oedd ffrwyth arni, hyd yn oed *Taqsh*, y dyrnau bychain. Roedd cyfnod y cynhaeaf ffigys i ddod ymhen misoedd. Nid oedd gan y goeden hon ffigys o gwbl. Roedd yn afiach ac ni fyddai neb yn cael bwyta ei ffrwyth byth mwy. Daeth Iesu at y ffigysbren gan ofyn am ei ffrwyth: *'Mae dy ddail yn dweud bod gennyt ffigys, felly dyro i mi o'th ffrwyth'.* Ond nid oedd ffrwyth ar gael, roedd y goeden afiach yn ceisio twyllo pobl.

Yn Nameg Jotham (Llyfr y Barnwyr 9: 11), gwrthoda'r ffigysbren deyrnasu dros y coed eraill gan ymffrostio yn *'fy mraster, yr anrhydeddir Duw a dynion trwyddo'.* Enghraifft arall o Iesu'n gweithredu dameg sydd yma, tebyg i'r hyn a wnaeth wrth iddo fynd i Jerwsalem ar gefn asyn. Eisoes, roedd Iesu wedi rhybuddio'i ddisgyblion bod dynion yn debyg i goed: *"Wrth eu ffrwythau yr adnabyddwch hwynt... Ni all coeden dda ddwyn ffrwyth drwg, na choeden wael ffrwyth da... felly wrth eu ffrwythau yr adnabyddwch hwynt."* (Mathew 7: 17, 20). Ei bwrpas yn awr oedd darlunio dyfodiad Goleuni i'r byd i ddatguddio gwir gyflwr pethau. *"Dyma awr barnu'r byd hwn"* (Ioan 12: 31). Ond nid barnwr mewn llys barn yw'r unig un sy'n cyhoeddi dedfryd, onid dyna swyddogaeth meddyg hefyd ar ôl astudio cyflwr claf, yn arbennig yn ein hoes ni, a phob math o offer ar gael i ddatguddio ei wir gyflwr? Onid prognosis meddyg sydd yma? Adnabod achos clefyd yw swyddogaeth meddyg, nid ei achosi. Ni wnaeth Iesu niwed i'r ffigysbren, y cyfan a wnaeth oedd datguddio ei gyflwr. *"Yr wyt yn farw,"* medd Iesu wrth y ffigysbren am ei fod eisoes yn farw. *"Ac yr oedd ei ddisgyblion yn gwrando"* (Marc 11: 14). Mae'n bwysig iddynt wrando yn awr a gweld a chofio wrth iddynt fynd drachefn gydag ef i'r Deml, a rhannu yn y digwyddiadau a oedd i ddilyn yn ystod yr wythnos hon.

Preswylfa Duw ar y ddaear oedd y Deml i'r Iddewon: *"Gelwir fy nhw yn dŷ gweddi i'r holl bobloedd', medd yr Arglwydd Dduw'* (Eseia 56: 7). Er mwyn cyflawni'r geiriau hyn, agorwyd pyrth y Deml yn ddyddiol gan ganiatáu i bobl yr Arglwydd ddod i mewn i offrymu eu haddoliad a'u haberthau yno. Roedd gan y Deml, fel y ffigysbren, ddail hardd – ei gwasanaethau yn brydferth eu golwg a'u sŵn, aberthau niferus a phererinion o bob rhan o'r wlad a'r diaspora,[2] i Deml yr Iddewon y deuai llu o genedl-ddynion hefyd, rhai yn dwristiaid yn mwynhau harddwch yr adeiladau ond eraill yn chwilio am Dduw moesol. Ymhlith yr ymwelwyr â'r Deml y bore Llun hwnnw yr oedd yna un arbennig iawn yn cyflawni addewid Malachi (gweler tud.1). Daeth Iesu i'r Deml i gyflawni'r ddameg a luniodd gyda'r ffigysbren ar Fynydd yr Olewydd. Roedd y dail yn amlwg – ond ble oedd y ffrwyth? Cawn y Meddyg Da unwaith yn rhagor yn gwneud diagnosis ac yn cyhoeddi barn wrth iddo gyplysu dwy adnod o'r proffwydi nad oedd neb wedi eu cyplysu erioed o'r blaen, gydag effaith mawr iawn. Trôdd at eiriau poblogaidd Eseia 56: 7: *'gelwir fy nhw yn dŷ gweddi i'r holl bobloedd'*, fe ychwanegodd Iesu gymal o Jeremia 7: 11:*"Ai lloches lladron yn eich golwg yw'r tŷ hwn y gelwir fy enw arno? Ond yr wyf finnau hefyd wedi gweld hyn,' medd yr Arglwydd."*

Yr hyn a welodd Iesu yn nheml Jerwsalem oedd ecsbloetio'r ffyddloniaid tlawd er mwyn llenwi pocedi'r archoffeiriad a'u teuluoedd. Dwy ffordd arbennig oedd ganddynt i wneud hyn. Yn gyntaf, daeth pererinion yno i offrymu aberthau i'r Duw sanctaidd a rhaid i'r aberthau hynny fod yn sanctaidd a hollol ddi-nam hefyd. Penodwyd archwilwyr gan yr Archoffeiriad i sicrhau bod pob aberth yn dderbyniol. Eu gwaith, mewn gwirionedd, oedd gwrthod pob anifail a gafodd eu hebrwng i mewn drwy'r pyrth er mwyn sicrhau bod y pererinion yn prynu eu hanifeiliaid oddi ar stondinau y tu mewn i dir y Deml ei hun; stondinau o eiddo'r Archoffeiriaid â'u prisiau llawer uwch na'r farchnad y tu allan. Yn ail, roedd yn rhaid i bob pererin dalu treth i'r Deml ond ni chaniateid iddynt offrymu arian budr Cesar yn y lle sanctaidd hwn. Arian sanctaidd y Deml yn unig oedd yn dderbyniol, ac yn ei haelioni, agorodd Annas gyfnewidfa arian yn y Deml ar gyfer y pererinion, gan sicrhau elw mawr iddo ef a'i deulu. 'Pebyll Annas' oedd enw'r cyhoedd ar y farchnad hon.

Yr oedd cyfres o lysoedd o fewn y Deml. Y mwyaf allanol ohonynt oedd Llys y Cenedl-ddynion, yr unig ran o'r Deml a oedd ar agor i genedl-ddynion, ac yma y lleolwyd 'Pebyll Annas'. Llys y Gwragedd oedd y nesaf, ac wrth ei phyrth hysbysiadau yn rhybuddio cenedl-ddynion rhag mynd ymhellach ar boen marwolaeth. Felly, yr unig gip oedd ar gael i bererinion o du allan i'r deuddeg llwyth oedd y farchnad hon, 'yr ogof lladron' – a'r cyfan yn dwyn sarhad ar enw Duw. Daeth Crist i'r Deml i'w herio yn yr un modd ag y gwnaeth i'r ffigysbren: Yr wyt yn chwifio'th ddail, ond ble mae dy ffrwyth? Ble mae'r arwyddion o bresenoldeb Duw ar y ddaear a ble mae dy wir gydnabyddiaeth ohono? Yr un oedd ei brognosis a'i ddiagnosis ag i'r ffigysbren: "Tŷ Gweddi" yn "Ogof Lladron". Yr wyt wedi marw. Na fwytäed neb ffrwyth ohonot ti byth mwy."

Triniaeth lawfeddygol oedd gan y Meddyg Da, sef torri'r drygioni allan. 'Dechreuodd fwrw allan y rhai oedd yn gwerthu, a'r rhai oedd yn prynu yn y deml; taflodd i lawr fyrddau'r cyfnewidwyr arian a chadeiriau'r rhai oedd yn gwerthu colomennod, ac ni adawai i neb gludo dim drwy'r Deml' (Marc 11: 15-16). Hawdd dychmygu'r olygfa, yr holl symud a'r sŵn, dynion mewn ofn a thymer, ac anifeiliaid wedi dychryn. Digwyddiad o bwys oedd hwn fel gweithred ac fel dameg. Fel hyn y byddai Duw yn torri ymaith pob aflendid yng nghrefydd a bywyd ei bobl; dyna neges y ddameg. Yn y cyfamser, y weithred oedd yn bwysig. Ymosododd Iesu o Nasareth ar weithwyr y Deml, dynion oedd wedi eu penodi gan neb llai na'r Archoffeiriaid Caiffas ac Annas. Wrth iddo wneud hyn, heriodd hawl yr Archoffeiriaid, nid yn unig i wneud ffortiwn o'u gweinidogaeth ond hefyd i arwain a rheoli crefydd pobl Dduw. A oes yma neges i'r eglwysi heddiw? Daeth Crist yn Oleuni'r Byd sy'n parhau i lewyrchu'n awr yn ein plith fel Cristnogion ac yn y byd. Beth sy'n cael ei ddatguddio heddiw gan y Goleuni?

Yn ôl Arthur Marcus Ward[3], dywedodd Gandhi wrtho mai ei hoff emyn oedd '*Wrth edrych, Iesu, ar dy groes'*. Pam felly, na throdd Gandhi at Gristnogaeth? Ysgrifennodd am ei brofiad o geisio mynd i addoli mewn dwy eglwys yn Ne Affrica; dyma'i ddisgrifiad o'r cyntaf: '*Nid oedd y gynulleidfa yn fy nharo fel un arbennig o grefyddol. I bob ymddangosiad, nid cynulleidfa o eneidiau duwiol mohonynt ond pobl eithaf bydol, yn mynychu'r cwrdd er mwyn adloniant a chydymffurfio â defod.*'Aeth Gandhi i eglwys arall, ond ni chafodd fynediad iddi gan nad oedd lliw ei groen yn dderbyniol. Gwelodd ddigon o ddail yno ond dim arwydd o ffrwyth y Ffydd.

Onid fel hyn y daw Duw yng Nghrist i Gymru a'r byd yn ystod yr 'Wythnos Fawr' a phob diwrnod arall – gan ddechrau yn yr eglwysi? Beth, tybed, yw neges addoliad ein heglwysi a'u bywyd cynulleidfaol a bywydau unigol eu haelodau? Ai chwifio yn yr awel glyd y mae eu dail? Ai arwydd ac addewid o ffrwyth yw eu gweithgareddau? "*Yn awr y mae barn y byd hwn", medd Crist* (Ioan 12: 31). Dyma'r farn, dyma ddiagnosis y Meddyg Mawr. A oes yma fwyd i bobl sy'n llewygu a goleuni i'r rhai sydd mewn tywyllwch? A gyhoeddir ffydd a gobaith a '*Gras a chariad megis dilyw'*? Tŷ'r Arglwydd yw man cychwyn barn; Tŷ'r Arglwydd yw man cychwyn edifeirwch ac ufudd-dod a chymod.

Dywedodd y nofelydd, Katherine Mansfield unwaith, nad oedd ganddi'r un stori y byddai am ei dangos i Dduw. Beth amdanom ni fel unigolion ac eglwysi? Oni chyhoedda'r Llythyr at y Saith Eglwys ar ddechrau Llyfr y Datguddiad nad oes gan unrhyw eglwys, nac enwad, na diwinyddiaeth arbennig hawl ddwyfol am barhad ac y mae hanes yn cadarnhau neges geiriau Ioan. '*Pa brofiad Cristnogol o Dduw sydd yna heddiw yn Asia Leiaf, yn y rhan fwyaf o Fesopatamia [Irac], ym Mhersia [Iran], yn yr Aifft, yng Ngogledd Affrica? Ble mae'r corlannau gynhyrchodd St.Gregori, St.Athanasiws, St.Awstin...? Am mai ffydd hanesyddol yw Cristnogaeth, rhaid i ni dalu sylw i'r ffaith bod y profiad Cristnogol wedi ei ddileu bron iawn yn yr ardaloedd lle tyfodd ei ffrwythau cyfoethocaf, yn yr hanner o'r hen fyd Rhufeinig i dde a dwyrain y Môr Canol a'r ardaloedd eang i'r dwyrain o'r môr.*'[4] Ond erys gras Duw i'r Eglwys er mwyn y byd.

Yng ngolwg yr awdurdodau, fe aeth y Saer o Nasareth yn rhy bell yn ei wrthryfel yn eu herbyn. Daethant ynghyd ar unwaith mewn dicter ac ofn. Yr oedd ganddynt ddewis – naill ai newid eu hunain neu roi taw arno ef (yr un dewis ag sydd gennym ninnau oll). Peth hawdd iddynt oedd penderfynu. Rhaid i'r hwn sydd am daflu'r Mynydd Sanctaidd i'r môr dalu pris am eu herio a'u sarhau. Mae'n amlwg iddynt anghofio eu hysgrythurau, gan gwyno yn erbyn y Crist fel ag y gwnaeth eu tadau yn erbyn Moses yn yr anialwch, a chan anghofio ateb Moses hefyd: *"Nid yn ein herbyn ni y mae eich grwgnach ond yn erbyn yr Arglwydd"* (Exodus 16: 7). Bwch dihangol oedd Moses i'r bobl, fel llawer i arweinydd eglwys wedi hynny – a bwch dihangol yw'r Oen sydd i'w ladd y tu allan i fur y dref. Ond, y tro hwn, nid manna yw ateb Duw i'w pechod ond *"y bara bywiol hwn a ddisgynnodd o'r nef"* (Ioan 6: 51).

Wedi i ddeugain mlynedd fynd heibio, fe chwalwyd adeiladau'r Deml gan filwyr Rhufain. Ond, dangoswyd heddiw bod gweithgareddau'r Deml wedi colli eu hystyr ymhell cyn hynny. Symudodd lleoliad y gwir Deml o Fynydd Moria i Fryn Calfaria. Mewn dyn ar groes, â'i gorff yn dioddef poenau erchyll, y gwelwyd y Deml Newydd a gogoniant Duw ar y Ddaear. Pren Calfaria fyddai'n dwyn y cynhaeaf o ffrwythau perffaith. Ar Golgotha fe gynigodd iddynt hwy a ninnau ras, gallu ac esiampl, gan alw pawb i gymdeithas maddeuant, cariad a charu. Daeth Crist i'r byd i fod yn Feddyg Da i blant y llawr. Digwyddodd dau beth mawr wrth iddo hongian ar ei groes, sef datgan barn ar y byd, fel meddyg yn datguddio cyflwr dyn (*diagnosis*) a chynnig iachâd a bywyd newydd iddo (*prognosis*). Duw oedd i'w weld wrth ei waith iachusol yma a Duw sydd i'w weld o hyd yn ei waith iachusol ym mywydau Cristnogion ac eglwysi sy'n marw'n ddyddiol i'w hunain. Gwelir y groes yn cael ei chodi ym mywydau Cristnogion a chynulleidfaoedd Cristnogol sy'n dewis dilyn ffordd Iesu Grist.

"Dyma awr barnu'r byd hwn", medd Iesu (Ioan 12: 31); yn awr datguddir gwir gyflwr pawb a phopeth. Yn ogystal: *"Dyma yn awr yr amser cymeradwy; dyma, yn awr, ddydd iachawdwriaeth"* (2 Corinthiaid 6: 2). Yma y cawn gip ar y cariad tragwyddol a gwybod bod maddeuant wedi ei ollwng yn rhydd yn y byd, a chymod a chyfle i gyfamodi â'n gilydd, a bywyd newydd - rhoddion Duw i'w blant.

Cân hyfryd sydd gan Fenantiws Ffortwnatws[5] i ffigysbren Calfarî:

Ti yw'r tecaf o'r holl brennau
Yn y goedwig, ffyddlon Groes;
Mewn un llwyn prydferthach blodau,
Purach ffrwyth na dail nid oes;
Mwyn yw'r Pren, a mwyn yr hoelion.
Ddeil yr Aberth dan ei loes.

Gweddi:

*O Waredwr y byd, trwy dy Groes a'th werthfawr waed,
fe'n gwaredaist ni,
cadw ni a chynorthwya ni,
erfyniwn arnat yn ostyngedig,
O Arglwydd. Amen.*

3. DYDD MAWRTH - DYDD Y DADLAU

Darllen: Marc 11: 20-26;
              Mathew 21: 23-36;
              Luc 20: 1-21: 3

Gyda'r hwyr ar y Dydd Llun hwnnw, dychwelodd Iesu a'i gyfeillion i Fethania, gan ddod yn ôl i Jerwsalem fore trannoeth ar hyd yr un ffordd. *'Gwelsant y ffigysbren wedi crino o'r gwraidd. Cofiodd Pedr, a dywedodd wrtho, 'Rabi, edrych, y mae'r ffigysbren a felltithiaist wedi crino.' Atebodd Iesu hwy, "Bydded gennych ffydd yn Nuw; yn wir, rwy'n dweud wrthych, pwy bynnag a ddywed wrth y mynydd hwn, 'Coder di, a bwrier i'r môr, heb amau yn ei galon, ond credu y digwydd yr hyn a ddywed, fe'i rhoddir iddo"* (Marc 11: 20-23). Sylwch, *'y mynydd hwn'*! Ni ddywedodd y gall ffydd symud yr holl fynyddoedd, ond *'y mynydd hwn'*. Edrychodd i lawr ar Fynydd Moria o ben Mynydd yr Olewydd wrth iddo ddweud hyn – Mynydd Moria, lle safodd y Deml, *"tŷ^ gweddi i'r holl genhedloedd"* oedd wedi ei droi i fod yn *"ogof lladron"*. Byddai gan ffydd y nerth i symud y goeden hon, sy'n hollol ddiffrwyth, er bod ei dail yn chwifio'n braf. Yn wir, y dail gogoneddus hyn oedd yn gyfrifol am rwystro'r Iddewon a'r cenedl-ddynion fel ei gilydd, rhag gweld Duw a'u cymdogion a'u hunain yn ei oleuni. Ffug grefydd oedd yma. Gwaith Iesu oedd symud y mynydd hwn, sef y meini tramgwydd a oedd yn cuddio Duw - balchder ysbrydol, rhagrith, creulondeb, trachwant, ecsploetio - gan gyflawni addewid Eseia 40: 4-5: *"Caiff bob pant ei godi, pob mynydd a bryn ei ostwng, gwneir y tir ysgithrog yn llyfn, a'r tir anwastad yn wastadedd. Datguddir gogoniant yr Arglwydd, a phawb ynghyd yn ei weld. Genau'r Arglwydd a lefarodd."* Siaradodd am ffydd, gweddi a maddau, a'r gair olaf yw MADDAU. Roedd fwy o sialens iddynt hwy a ninnau yn y gair hwn na hyd yn oed symud mynyddoedd. Hyn sy'n ganolog i'w waith a'i hunanaberth, canys ef ei hun yw'r sianel sy'n galluogi cariad Duw i lifo allan i'r byd.

    Yn draddodiadol, gelwir Dydd Mawrth yr 'Wythnos Fawr', naill ai'n 'Ddydd y Dysgu' neu 'Dydd yr Holi'; mae 'Dydd yr Ornest' a 'Dydd y Dadlau' yr un mor dderbyniol.   Dywedodd Iesu ar ddechrau ei weinidogaeth: *"Gwyn eu byd y rhai a erlidiwyd yn achos cyfiawnder, oherwydd eiddynt hwy yw teyrnas nefoedd"* (Mathew 5: 10). Ar y dydd hwn y gwireddwyd ei eiriau.

Darllen: Marc 11: 27 – 12: 37;
Mathew 21: 27-26: 46;
Luc 20: 1-38;

Diwrnod o wrthdaro oedd y Dydd Mawrth i Iesu wrth iddo ddychwelyd i Deml Jerwsalem am y tro olaf. Yr hyn a wnaeth ar y Dydd Mawrth oedd defnyddio'r ffigysbren diffrwyth i ddatgelu gwir gyflwr y Deml a'i chrefydd. Daeth Iesu at y man dysgu arferol ar y grisiau tu allan i Borth Huldah o'r Deml (mae adfeilion y porth a'r grisiau mewn cyflwr da hyd heddiw). Y tu mewn i Borth Huldah yr oedd Llys y Cenedl-ddynion, lle cynhelid marchnad y Deml; yno y creodd Iesu lanast y diwrnod blaenorol. Yn ôl Marc, bu Iesu'n dysgu ac yn iachau a'r bobl gyffredin yn gwrando arno'n llawen, ond ni rannodd eu harweinwyr mo'u llawenydd. Daeth y *"prif offeiriaid a'r ysgrifenyddion a'r henuriaid"* ato, sef prif awdurdodau pwysicaf y genedl, i'w herio ar fater awdurdod. Roedd gan yr Offeiriaid awdurdod dros holl fywyd y Deml, ei haberthu a'i haddoliad. Roedd gan yr Ysgrifenyddion awdurdod dros bopeth yn ymwneud â Deddf Moses a bywyd y bobl. Yr Henuriaid oedd ag awdurdod dros fywyd cymunedol y bobl. *"Trwy ba awdurdod yr wyt ti'n gwneud y pethau hyn?"* Hynny yw, *"Pwy wyt ti'n meddwl wyt ti?" Pwy roddodd i ti'r hawl i daflu allan y cyfnewidwyr arian a'r gwerthwyr aberthau, sy'n cael eu cyflogi gan neb llai na'r Archoffeiriaid, gan aflonyddu ar rediad llyfn y lle hwn. Pwy wyt ti i feiddio galw Sanctaidd Dw'r Arglwydd yn ogof lladron? O ba le y cefaist awdurdod i ddefnyddio'r Ysgrythurau Sanctaidd mewn ffordd mor annerbyniol? Trwy ba awdurdod wyt ti'n gweithredu a siarad fel hyn? Rwyt ti'n gosod dy hun yn uwch na gweision y Gyfraith a'r Deml ac yn troi'r bobl oddi wrth eu hufudd-dod i'w Henuriaid. Dim ond y Meseia ei hun all wneud y pethau rwyt ti'n eu gwneud!*

Mae gan Deuteronomium 13: 1-5 grynodeb o'u cyfrifoldebau: *"Os cyfyd yn eich plith broffwyd neu un yn cael breuddwydion, a rhoi i chwi arwydd neu argoel, a hynny digwydd fel y dywedodd wrthych, ac yntau wedyn yn eich annog i fynd ac addoli duwiau estron nad ydych yn eu hadnabod, nid ydych i wrando ar eiriau'r proffwyd neu'r breuddwydiwr hwnnw, oherwydd eich profi chwi y mae yr Arglwydd eich Duw i gael gwybod a ydych yn ei garu â'ch holl galon ac â'ch holl enaid. Yr ydych i ddilyn yr Arglwydd eich Duw a'i ofni, gan gadw ei orchmynion a gwrando ar ei lais, a'i wasanaethu ef a glynu wrtho. Rhaid rhoi'r proffwyd neu'r breuddwydiwr hwnnw i farwolaeth am iddo geisio'ch troi oddi ar y llwybr y gorchymynnodd yr Arglwydd eich Duw i chwi ei ddilyn..."* Felly, cydnabuwyd nad oedd gwyrthiau ar eu pennau eu hunain yn dderbyniol fel arwyddion o allu ac awdurdod. Rhaid i eiriau a gweithredoedd proffwyd gydymffurfio â ffydd yn Nuw Israel. Cyfrifoldeb y ddirprwyaeth yn ôl y Ddeddf oedd dod i'w holi. Ond ei farnwyr oedd y rhai a ymadawodd â ffordd y Duw a ddaeth â hwy allan o'r Aifft, megis pan ddaeth ei Eneiniog atynt, ni adnabuasent ef ac ni chroesawyd ef i'w plith.

"*Trwy ba awdurdod yr wyt ti'n gwneud y pethau hyn?*" Atebodd Iesu trwy ofyn cwestiwn arall: "*Bedydd Ioan, ai o'r nef yr oedd, ai o ddynion?*" Nid osgoi ateb oedd ei fwriad ond mynd at wraidd y mater. Roedd y bobl yn parchu Ioan Fedyddiwr fel gwir broffwyd a chyfeiriodd Ioan at Iesu fel y Meseia. Felly, os oedd y Bedyddiwr yn broffwyd wedi ei ddanfon gan Dduw, rhaid mai Iesu oedd y Meseia, a dylai pawb ufuddhau i'w awdurdod. Ceisiodd y ddirprwyaeth osgoi'r cwestiwn drwy ateb: "*Ni wyddom ni ddim*"; ond, eu cyfrifoldeb oedd gwybod! Dyna holl bwrpas bodolaeth eu swyddi fel rhai ag awdurdod dros y Deml a'r Gyfraith a'r bobl. Yr hyn a wnaethant wrth iddynt geisio dod yn rhydd o'u cyfyng-gyngor, oedd ildio eu cyfrifoldeb a'u hawdurdod i rywun arall. Llwyddodd Iesu i alw eu blyff. Chwifio dail a wnaeth arweinwyr crefydd er nad oedd ganddynt unrhyw ffrwyth. Aeth y rownd gyntaf o'r ornest i Iesu o Nasareth!

Aeth Iesu ymlaen i ddysgu trwy ddamhegion. Un ddameg yn unig sydd gan Marc, sef 'Dameg y Winllan a'r Tenantiaid', tra bod yr efengylau eraill yn cynnwys nifer o ddamhegion eraill. Cynhaeaf a lladrad yw testun 'Dameg y Winllan a'r Tenantiaid', gan ymwneud ag awdurdod a chyfrifoldeb. Wedi i ddyn blannu gwinllan a chodi clawdd o'i chwmpas, fe'i gosododd hi i denantiaid. Penderfynodd y tenantiaid wrthod talu'r rhent adeg y cynhaeaf. Amarchasant weision y perchennog, gan guro rhai a lladd eraill. Yn y diwedd, danfonodd y perchennog ei unig fab gan ddisgwyl iddynt ei barchu ef ond yn lle hynny, penderfynodd y tenantiaid ei ladd yntau hefyd er mwyn sicrhau'r winllan iddynt hwy eu hunain. Cyhuddodd Iesu'r awdurdodau o geisio twyllo Duw a dwyn ei eiddo. Oni ddywedodd y proffwyd Malachi wrth y bobl: "*A dwylla dyn Dduw? Eto yr ydych yn fy nhwyllo i*" (Malachi 3: 8).

Dehongli hanes oedd pwrpas Iesu yma, i ddangos iddynt fod eu hanes fel cenedl yn gyfres o ddatguddiadau cynyddol a gwrthodiadau esgynnol. Cafodd y proffwydi eu cam-drin hyd at Ioan Fedyddiwr a chafodd ef ei ladd. Pwy felly oedd mab perchennog y winllan? Hawliodd Iesu'r enw a'r statws iddo'i hun. Nid dyma'r tro cyntaf iddo ddefnyddio dameg i ateb cwestiwn, ond wrth iddo wneud hynny yn awr, fe roddodd ei dynged yn eu dwylo hwy. Ef oedd y Mab y soniodd y ddameg amdano, a hwythau, stiwardiaid gwinllan Duw, yn bwriadu ei ladd. Ef oedd yr iachawdwriaeth yr oeddent am ei wrthod, eu gwaredigaeth hwy a ninnau. Cynlluniasant i gyflawni'r lladrad mwyaf posibl, sef dwyn eiddo Duw, ac i wneud hynny, rhaid lladd y Meseia. Roeddent ar fin pechu yn y ffordd fwyaf eithafol, trwy ddewis gwrthryfela yn erbyn Duw. Pobl Dduw oedd yma yn ymwrthod â Duw er mwyn cymryd yr hyn sy'n eiddo iddo. Pechod oedd yma, ar fin llwyddo i bob golwg. Ond, cyhoeddodd Iesu yn ei ddameg, mai amhosibl oedd iddynt lwyddo yn erbyn Duw. Colli'r frwydr fyddai'r tenantiaid gyda'r Winllan yn cael ei throsglwyddo i bobl eraill. A chan fod gweision dewisedig Duw yn gwrthod ufuddhau, rhaid troi i rywle arall i sicrhau bod bwriadau Duw yn cael eu cyflawni. Oni fu hyn yn wir ymhob oes – y tu mewn i Iddewiaeth a Christnogaeth fel ei gilydd? Os felly, mewn hanes, onid yw'n wir hefyd heddiw? Mae Barn yn digwydd o flaen ein llygaid. Disgleiria'r Goleuni'n llachar heddiw a phobl Duw mor aml yn dewis y tywyllwch. Defnyddiodd Iesu adnodau o Salm 118: 22 fel diweddglo: *"Y maen a wrthododd yr adeiladwyr, hwn a ddaeth yn faen y gongl; gan yr Arglwydd y gwnaethpwyd hyn, ac y mae'n rhyfeddol yn ein golwg ni."*

Mae'r ffaith i'r geiriau hyn gael eu dyfynnu mor aml yn Llyfr yr Actau, y Llythyrau at y Rhufeiniaid a'r Effesiaid ac yn Epistolau Pedr, yn dangos sut yr aeth yr olygfa hon a'r geiriau hyn yn ddwfn iawn i gof, calon a meddwl y disgyblion a oedd yno yn gwrando. Dynion yn dal yr awdurdod a ddaeth ato i'w herio ac Iesu'n troi'r her yn ôl arnynt. Rhaid iddynt hwy a phawb arall, naill ai edifarhau ac ufuddhau neu geisio ei ddistewi. Eu dewis hwythau oedd gweiddi *'Croeshoelia ef'*. Ffurfiodd yr hen elynion hyn, sef y Sadwceaid, y Phariseaid a'r Herodiaid, glymblaid er mwyn cael gwared ag un a oedd yn fygythiad i bob un ohonynt, ac y mae yna le i feddwl bod y Selotiaid hefyd yn eu cefnogi. Gwireddwyd y ddameg gan eu cynllwynio hwy a'i hunanaberth ef. Wrth iddynt gynllunio i ddod ag ef i farn, profodd ei achos yn eu herbyn, a thrwy hynny y sicrhawyd gobaith i'r holl fyd.

Darllen: Marc 12: 13-44

Bwriad yr awdurdodau yn eu dicter oedd ei ddal, ond oherwydd eu hofnau, rhaid iddynt aros am gyfle am fod y dorf, i bob golwg, o'i blaid. Penderfynwyd gohirio ei ddal dros dro, ond yn y cyfamser, dechreuwyd ail-ymosod arno gan aelodau o'r glymblaid newydd.

'Plaid y Deml' oedd y Sadwceaid, sef y teuluoedd offeiriadol, aristocrataidd, yn casáu Rhufain ond yn barod i gydweithio â'r ymerodraeth er mwyn sicrhau heddwch i'r bobl a chadw eu safle eu hunain yn y wlad. 'Plaid y Ddeddf' oedd y Phariseaid, plaid y werin dduwiol a'u harweinwyr, yn ysgrifenyddion neu esbonwyr y Ddeddf, a'u henuriaid yn gul eu meddwl ac yn awyddus i gadw rheolaeth ar bob agwedd o fywyd y bobl. Teulu Herod a'i ddilynwyr oedd yr Herodiaid, yn dal awdurdod dros eu breniniaethau yn enw Rhufain, a chanddynt awydd i ddod â syniadau ac arferion Groegaidd i fywyd a chrefydd Israel. Mudiad cudd, treisgar oedd y Selotiaid yn barod i ennill rhyddid i'w cenedl drwy ymladd. Y mae yna le i feddwl bod Barabbas yn aelod a Jwdas Iscariot yn gyn-aelod. Anghytunai'r pleidiau hyn ar nifer o faterion holl bwysig, gan gynnwys person y Meseia a sut i baratoi ei ffordd, sut i wasanaethu Duw, y bywyd tragwyddol, a sut i ymateb i'r diwylliant Groeg-rufeinig ac i lywodraeth Rhufain. Danfonwyd cynrychiolwyr o bob un o'r tair plaid gyntaf ato yn eu tro i geisio ei ddal trwy ofyn cwestiwn anodd, er mwyn iddo gondemnio ei hun yng ngolwg un blaid neu'r llall.

Daeth dirprwyaeth o Phariseaid ac Herodiaid ato gyda'u cwestiwn: "*A yw'n gyfreithlon i dalu treth i Cesar, ai nid yw?*" Cwestiwn cyfrwys iawn: byddai dweud 'Ie' yn fflamychu'r Phariseaid, gan roi iddynt gyfle i'w gondemnio gerbron y bobl fel bradwr i'w genedl, tra byddai ateb negyddol yn agor drws i'r Herodiaid fynd at Pilat i'w gyhuddo o gynllwynio yn erbyn yr ymerodraeth. Unwaith yn rhagor, defnyddiodd Iesu gwestiwn fel ateb i'w holwyr, gan ofyn am fenthyg denariws a holi: "*Llun ac arysgrif pwy sydd yma?*" Dywedasant wrtho, 'Cesar'. A dywedodd Iesu wrthynt: "*Talwch bethau Cesar i Gesar a phethau Duw i Dduw. Nid fy mhroblem i mo' hon ond eich problem chwi.*"

Yn wyneb methiant y ddwy blaid arall, aeth grŵp o Sadwceaid i faes y gad. Daeth y sinigiaeth a oedd yn nodweddiadol ohonynt i'r golwg yn eu cwestiwn am wraig yn priodi saith o frodyr, a phob un yn marw. "*Yn yr atgyfodiad, pan atgyfodant, gwraig prun fydd hi?*" Ni chredent mewn atgyfodiad; athrawiaeth o bwys i'r Phariseaid. Cwestiwn am briodas lefiraidd sydd ganddynt, sef cyfrifoldeb Iddew wrth i'w frawd farw heb blant, i gymryd y weddw fel gwraig er mwyn [6] cael meibion i gadw enw'r brawd a fu farw yn fyw. Saith brawd sydd yn eu stori, a phob un wedi priodi'r un wraig: *"gwraig pwy yw hi yn y nefoedd?"* Yr oedd yn dda gan y Sadwceiaid gael cyfle gwych i osod Iesu mewn picil gan ei fod yn rhwym o beri tramgwydd i'r naill blaid neu'r llall, a dangos i bawb yr un pryd eu bod hwy yn fwy clyfar na'r Phariseaid a'r Herodiaid. Darluniodd y Sadwceiad a'r Phariseaid y nefoedd yn nhermau'r ddaear a chawsant eu beirniadu am hyn gan Iesu. Wrth symud ymlaen i ateb eu cwestiwn, wynebodd Iesu'r Sadwceaid ar eu tir eu hunain. Dim ond pum llyfr cyntaf y Beibl oedd yn dderbyniol i'r Sadwceaid fel Ysgrythur ac yno yr aeth Iesu i gael ei ateb, gan ddyfynnu Exodus 3: 6: *"ond ynglŷn â bod y meirw yn codi, onid ydych wedi darllen yn Llyfr Moses, yn hanes y Berth, sut y dywedodd Duw wrtho, Myfi, Duw Abraham a Duw Isaac a Duw Jacob ydwyf? Nid Duw'r meirw yw ef, ond y rhai byw. Yr ydych ymhell ar gyfeiliorn"* (Marc 12: 26-27).

Un o'r ysgrifenyddion (dehonglwyr y Gyfraith) oedd y nesaf. Cafwyd tinc gwahanol yn llais hwn wrth iddo ofyn, *"Prun yw'r gorchymyn cyntaf?"* Trodd Iesu at faes ei holwr am ateb, sef y gyfraith, at y 'Shema'[7], y datganiad mawr o ras Duw sy'n sefyll fel rhagymadrodd hollbwysig y Deg Gorchymyn: *"Y cyntaf yw, Gwrando, O Israel, y mae'r Arglwydd ein Duw yn un Arglwydd, a châr yr Arglwydd dy Dduw â'th holl galon ac â'th holl enaid ac â'th holl nerth. Yr ail yw hwn, Câr dy gymydog fel ti dy hun."* Nid oes enghraifft ar gael o athro arall yn cyplysu dau orchymyn mawr fel hyn; Iesu oedd y cyntaf i wneud hynny. Cytunodd yr holwr yn wresog gydag ef ac ychwanegodd Iesu: *"Nid wyt ymhell oddi wrth deyrnas Dduw. Ac ni feiddiai neb ei holi ddim mwy."* Nid oedd yn bosibl iddynt ddweud dim.

Gweddi:
Gwêl yn dda dywallt dy gariad ar led yn ein calonnau fel y byddom wrth dy fodd; oblegid cyflawnder dy gyfraith Di yw cariad. Cymhwysa ni i fod yn gyfryngau i ledaenu dy gariad ymhlith ein cyd-ddyn, fel y delo'r ddaear i gyd yn un aelwyd, a phawb o'r teulu yma'n un, heb neb yn tynnu'n groes. Amen

4. DYDD MAWRTH - GWRTHYMOSOD

Darllen: Marc 12: 35-44

Cymerodd lesu ei gyfle i droi'r byrddau ar y rhai a fu'n ymosod arno, gan ymosod yn awr ar eu daliadau a'u hymagwedd hwy. Buont yn ymosod i'w gael i brofi mai ef oedd y Crist, y Meseia. Hiraethant am weld y Meseia yn dod fel Mab Dafydd, brenin a rhyfelwr mawr, dyn grymus. Yn awr, adroddodd lesu yng ngeiriau agoriadol Salm 110: *"Dywedodd yr Arglwydd wrth fy Arglwydd, 'Eistedd ar fy neheulaw, nes i mi wneud dy elynion yn droedfainc i ti."* Nid yr un oedd teyrnas y Meseia â theyrnas Dafydd Frenin, ac ni sefydlir ei deyrnas ef yn yr un ffordd a theyrnasoedd y ddaear.

Aeth lesu ymlaen i feirniadu doctoriaid y Gyfraith. Soniodd am eu gweddïau hirion, 'duwiol' a'u hunanbwysigrwydd, gan eu condemnio fel y *"rhai sy'n difa cartrefi gwragedd gweddwon."* Ymffrost y Rabiniaid oedd eu bod yn gwasanaethu Duw a'r bobl, ond mewn gwirionedd, yr hyn a wnaethant oedd perswadio'r bobl i'w cynnal mewn modd cyfforddus.

Cyrhaeddodd yr awr i'r Goleuni lewyrchu, gan ddatguddio eu rhagrith a'u drygioni. Yr un diagnosis a'r prognosis sydd yma ag eiddo'r ffigysbren, digon o ddail - gweddïau, aberthau, arogldarth a pharchusrwydd. Roedd holl olwynion crefydd yn troi yn hyfryd - ond nid oedd ffrwyth! A'r un yw'r ddedfryd: 'Mae'n farw!'

Yna, trodd ei sylw oddi wrth ddynion mawr crefydd a chymdeithas at weddw dlawd yn rhoi ei chasgliad yng nghist y Deml, dim ond chwarter ceiniog, y cyfan oedd ganddi. I lesu, dyma ymgnawdoliad y Ddeddf, *"Câr yr Arglwydd dy Dduw â'th holl galon ac â'th holl enaid ac â'th holl feddwl ac â'th holl nerth... Câr dy gymydog fel ti dy hun."* Dyma goeden a ffrwyth arni!

Gyda'r geiriau hyn y daeth y frwydr hon i ben. Ymadawodd lesu â'r Deml am y tro olaf, hyd nes iddo ddod yn ôl yn garcharor. Ni chaed y *Shecina*, gogoniant Duw, ar y mynydd hwn byth mwy. Dringodd lesu dros Fynydd yr Olewydd yn ôl i Fethania. Byddai'n dychwelyd i Jerwsalem ar gyfer cadw'r Pasg gyda'i ddisgyblion yn yr Oruwch Ystafell, ac ar gyfer Gethsemane a'r Groes.

Darllen: Marc 13: 1-6, 28-37.

Wrth iddynt ymadael â'r Deml mynegodd y disgyblion eu rhyfeddod at odidowgrwydd yr adeiladau gwych. Peth digon naturiol i bobl syml o'r wlad a oedd yn mynychu synagog digon cyffredin wrth iddynt sefyll mewn addoldy mor ysblennydd. Un sylw oedd gan Iesu: *'A weli di'r adeiladau mawr yma? Ni adewir yma faen ar faen' ni fydd yr un heb ei fwrw i lawr.'*

Wrth iddynt ddringo yn ôl i Fethania ar lwybr serth mynydd yr Olewydd, aeth pedwar o'r disgyblion, Pedr a'i frawd Andreas a'r brodyr Iago ac Ioan, at Iesu i ofyn pa bryd y byddai'r pethau hyn yn digwydd. Wrth ateb, soniodd Iesu am gwymp y ddinas a distryw'r Deml; am ryfeloedd, daeargrynfeydd ac adegau o newyn ar y ddaear, am erledigaeth, brad, cyfnodau o ansicrwydd a chasineb i'w ganlynwyr. Yn y flwyddyn 70 OC y gwireddwyd ei air, pan gwympodd y ddinas a'r Deml i afael byddin Rhufain a distrywiwyd y cyfan.

Bu hyn yn destun siarad i lawer yn yr Eglwys byth er hynny, wrth i rai pobl dybio eu bod yn canfod yn yr Ysgrythurau arwyddion cyfoes o ddyfodiad y Diwedd. Pob hyn a hyn, daw rhai i gyhoeddi bod yr arwyddion o'u cwmpas yn eglur – yn y flwyddyn 1000 OC, er enghraifft, ac yn 2000 OC hefyd ac ar achlysuron eraill, megis y cyfnod pan ddefnyddiwyd powdr gwn yn Ewrop am y tro cyntaf. Dengys hanes i'r arwyddion fod gyda ni dros yr ugain canrif ddiweddaf a bod plant Duw yn byw ar hyd yr amser hynny yn y 'dyddiau diweddaf.' Ond, meddai Crist: *"Ni wyddoch pan bryd y daw meistr y tŷ... byddwch yn wyliadwrus gan hynny..."* Gwaith yr Eglwys yw bod yn ffyddlon bob amser. Yn ôl Mathew 24:14, addewid Crist yw hyn: *"fe gyhoeddir yr Efengyl hon am y Deyrnas drwy'r byd i gyd fel tystiolaeth i'r holl genhedloedd, ac yna y daw'r diwedd."* Ni all Cristnogion cyffredin wneud rhyw lawer ynglŷn â daeargrynfeydd, ar wahân i godi adeiladau diogel a helpu rhai sy'n dioddef yn sgil daeargrynfeydd, ond gall pawb ohonom rannu'r "Newyddion Da o lawenydd mawr."

"Dysgwch wers gan y ffigysbren," meddai. Fe ddyweda'r dail fod yna ffrwyth ar y goeden. Mae'r holl dymhorau, hyd yn oed y gaeaf, â rhan yn nyfodiad y cynhaeaf. Gwyddoch am y tymhorau, felly byddwch yn barod ar gyfer pob un ohonynt, gan baratoi at y cynhaeaf. Byddwch yn barod. Peth trist yw bod pobl yn gwastraffu amser ar *'Pa bryd?'* yn lle ar *'Byddwch yn barod'.*

Datgelodd Iesu'r ffaith mai ffug llwyr oedd crefydd y Deml a'r bobl fawr, er ei holl ysblander. Y gair a ddefnyddir yn yr iaith Roeg wreiddiol y Testament Newydd yw *hupocrites*, hynny yw, ffug-dystion neu ragrithwyr. Cyhoeddodd Iesu fod eu cyfundrefn grefyddol wedi ei gwrthod gan Dduw, er nad ydyw Duw yn ymwrthod â'i bobl. Nid bwystfilod mohonynt ond dynion ar gyfeiliorn ac mewn angen am edifeirwch. Eu camgymeriad mawr, fel eiddo llawer o bobl grefyddol cyn hynny ac wedyn, oedd anghofio mai rhai yn dibynnu ar ras Duw oeddent, sef ei gariad at y rhai nad ydynt yn deilwng ohono, ac mai gweision y gras hwnnw oeddent a stiwardiaid gwirionedd Duw. Credasant fod y cyfan yn perthyn iddynt hwy, a neb arall – *'ein Teml, ein Deddf, ein Moses, ein proffwydi (yn dderbyniol ar ôl eu lladd) – ein hadeiladau, ein traddodiadau, ein math ni o addoli, ein ffordd o wneud pethau, ein crefydd, ein Duw ni'!*

Un o'r pethau y rhyfeddodd Iesu yn ei gylch yn ystod ei weinidogaeth oedd bod publicanod a phechaduriaid yn fwy parod i ddod i mewn i Deyrnas Dduw na phlant y Deyrnas. Oni ddylem weddïo nad felly y mae yn ein plith ni. Saif barn y Ffigysbren o hyd yma. Un peth yw chwifio'r dail; peth arall yw bod y dail hynny yn dweud y gwir wrth gyhoeddi fod gan y goeden ffrwyth - y ffrwyth sydd wrth fodd Duw ac yn rhoi ymborth i'w blant. Mor hawdd colli golwg ar Dduw mewn cyfundrefnau dynol, gwaeth pa mor arbennig ydynt. Ond y mae Duw ar gael bob amser trwy'r corff drylliedig ar ei Groes; Calfaria yw cartref newydd y *Shecina*. I'r Cristion, nid oes modd osgoi Calfaria ar lwybr bywyd, na galwad Crist i ni gario ein croesau a marw ein hunain fel unigolion ac eglwysi. *"A minnau, os caf fy nyrchafu oddi ar y ddaear, fe dynnaf bawb ataf fy hun,"* medd Crist.[8] Pawb, sylwch, nid rhai! Rhaid i'r hedyn farw er mwyn i'r cynhaeaf ddod. Gwir oedd hynny ar Galfaria ac y mae yr un mor wir i'w Eglwys ym mhob cenhedlaeth. Gair olaf Iesu wrth y Deuddeg ar Fynydd yr Olewydd oedd: *"A'r hyn yr wyf yn ei ddweud wrthych chwi, yr wyf yn ei ddweud wrth bawb: byddwch yn wyliadwrus."* Dyn y Groes sydd i ddod, ac sydd yn dod, nid fel plismon neu gasglwr dyledion neu drefnydd angladdau, ond fel priodfab yn gwahodd pawb i'w wledd. Newyddion da sydd yma.

Gweddi:
Dragwyddol Dduw,
yn dy gariad addfwyn tuag at yr hil ddynol
anfonaist dy Fab, ein Gwaredwr Iesu Grist
i gymryd ein cnawd a dioddef angau ar y groes.

*Caniatâ i ni ddilyn esiampl ei ostyngeiddrwydd mawr
a chyfranogi yng ngogoniant ei atgyfodiad;
drwy'r un Iesu Grist ein Harglwydd. Amen.*

5. DYDD MERCHER – DYDD YR AROS

Darllen: Marc 26: 3-11

Yn ôl yr amseru traddodiadol, arhosodd Iesu ym Methania ar y Dydd Mercher. Amser cythryblus oedd tridiau cyntaf yr wythnos yn Jerwsalem ac Iesu yng nghanol y cythrwfl. Ar y Dydd Mercher, aeth bywyd dinas Jerwsalem ymlaen yn ei ffordd arferol mewn wythnos o Ŵyl, ond dan y prysurdeb, caed distawrwydd anesmwyth yn rhagargoeli rhyw ddrwg. Yr oedd yna ruthro dirgel o gornel tywyll i gornel tywyll yn y ddinas wrth i rai gynllwynio a bradfwriadu. Roedd cymylau duon yn crynhoi a storm enbyd ar y ffordd. Arhosodd Iesu ym Methania trwy gydol y dydd, yn gorffwys ymhlith ffrindiau i baratoi ei hun ar gyfer y prawf mawr a oedd yn ei wynebu. Disgrifia Mathew, Marc ac Ioan wraig yn dod ato a'i eneinio. Dyma'r eildro i'r efengylau adrodd stori am eneinio Iesu.

Gweler y cyntaf yn Luc 7: 36-50. Lleolwyd y digwyddiad cyntaf mewn gwledd yn nhŷ Simon y Pharisead yng Nghapernaum. Roedd yn arferiad caniatáu i bobl eraill o'r dref ddod i mewn i wylio'r wledd a gwrando ar sgwrs y gwahoddedigion. Eisteddodd Iesu yn eu plith y tro hwn. *"A dyma wraig o'r dref oedd yn bechadures... dechreuodd wlychu ei draed â'i dagrau a'u sychu â'i gwallt ac yr oedd yn cusanu ei draed ac yn eu hiro a'r ennaint."* Gair i ddisgrifio putain gafodd ei gyfieithu yn *'bechadurus'* yma ac ystyr y gair 'Magdalen' yw *'putain gadwedig'.* Cafodd hon ei harwain o 'farwolaeth byw' i fywyd newydd gan Iesu. Merch ydoedd o gymeriad llachar ac emosiynol a dyna'r ffordd y mynegodd ei diolchgarwch i'w Meddyg Mawr.

Y mae yna le i gredu, yn ôl rhai awdurdodau, bod Simon yn briod â Martha, a Mair yn chwaer-yng-nghyfraith iddo. Nid rhyfedd felly iddo ei hadnabod a'i chondemnio am y niwed a wnaeth ei bywyd drwg hi i'w wraig Martha, yn ogystal ag i enw da a pharchus Simon ei hun. Gellir disgwyl iddo feirniadu Iesu'n llym am iddo ganiatáu iddi gyffwrdd ag ef. Wrth iddo ymateb i feirniadaeth y Pharisead, rhestrodd Iesu'r pethau na wnaeth Simon wrth iddo ei groesawu i'w dŷ ac i'w fwrdd, defodau y disgwylid iddo eu cyflawni yn un â chwrteisi'r cyfnod: heb olchi ei draed, heb roi cusan o groeso iddo, heb eneinio ei ben ag olew. Anodd dweud beth yn hollol oedd pwrpas Simon wrth gael y Rabbi i'w dŷ, ar wahân i ddefnyddio'r cyfle i ymosod arno, gweithred dyn cul, anhyblyg, hunangyfiawn. Er ei fod yn grefyddwr cryf a chadarn, yr oedd y peth canolog ac angenrheidiol yn absennol o'i grefydd ac o'i fywyd, sef gwir gariad at Dduw a chariad at gymydog. Daeth y bechadures hon i'r ystafell mewn edifeirwch a chariad yn arllwys o'i chalon. Beirniadaeth oedd gan Iesu o'r crefyddwyr selog a oedd yno wrth groesawu gweithred Mair: *"Y mae dy bechodau wedi eu maddau... Y mae dy ffydd wedi dy achub di; dos mewn tangnefedd."*

Lleolwyd yr ail ddigwyddiad ym Methania. Arfer Iesu, wrth ymweld â Jerwsalem, oedd lletya yno fel gwestai teulu annwyl Martha, Mair a Lasarus. Y tro hwn, enwodd Ioan, Lasarus, fel un a oedd yn bresennol gan nodi bod Martha yn gweini ar y cwmni, ond heb sôn o gwbl am bresenoldeb Mair, peth rhyfedd o ystyried pa mor bwysig oedd yr Athro iddi. Yn ôl Marc, yr oedd Iesu 'wrth y bwrdd yn nhw Simon y gwahanglwyfus', ffaith sy'n awgrymu fod yna berthynas o ryw fath rhwng y teulu hwn a Simon.

Daw anhawster i ddarllenwyr y stori o gyfeiriad Marc gan nad oedd yn bosibl i berson gwahanglwyfus fod yn berchennog tŷ, na byw mewn teulu na chymuned. Arferiad y dydd oedd darllen y gwasanaeth angladd ym mhresenoldeb gwahanglwyf a'i ddanfon i ffwrdd, allan o gymdeithas iach, cyn darllen ei ewyllys a rhannu ei eiddo. Un esboniad yn unig sy'n bosibl yma, sef mai gwahanglwyf wedi ei iacháu oedd y Simon hwn. Ond daw nifer o gwestiynau yn sgil hynny - Ai'r un Simon sydd yma? Ai'r un person yw 'Pharisead' Luc a 'gwahanglwyf' Marc? Ai ar ôl y digwyddiad yn Luc 7 y cafodd ei daro gan y gwahanglwyf? Ai Iesu a lanhaodd ei gorff a'i iachau, gan beri iddo ei groesawu i gartref ei chwaer-yng-nghyfraith a dderbyniodd yr un iachâd gan Iesu, yn ogystal â Lasarus a gafodd ei alw o'r bedd ganddo. Nid rhyfedd i Iesu gael cartref oddi cartref ym Methania.

Wrth i Iesu a'r cwmni eistedd o gwmpas y bwrdd, *"daeth gwraig a chanddi ffiol alabaster o ennaint drudfawr..."* medd Marc. Mair oedd ei henw yn ôl Ioan. *"A thywalltodd yr ennaint ar ei ben ef"* (Marc), ond yn ôl Ioan, *"cymerodd Mair fesur o ennaint costfawr, nard pur, ac eneiniodd draed Iesu a'u sychu â'i gwallt"* (Ioan 12: 3), h.y. copïo'r hyn a ddigwyddodd yn y stori gyntaf. Ai dau ddigwyddiad gwahanol sydd yma neu ail-adroddiad o stori Luc gan ei lleoli mewn lle gwahanol? Ceir anghytundeb ymhlith ysgolheigion ynglwn â hyn ac ynglwn â phwy yw'r wraig neu'r gwragedd. Tuedda rhai ysgolheigion diweddar i ddweud mai dwy Fair wahanol sydd yn y storïau hyn, ond ceir digon o reswm yn yr efengylau dros gredu mai'r un person yw'r ddwy.

Mae'n werth ail-adrodd ffeithiau'r ddau hanes hyn. Yn stori Luc, cafodd Iesu ei eneinio gan y wraig, am iddo ei hachub o'i 'marwolaeth'. Yn yr ail hanes, eistedda Iesu yng nghwmni Simon a gafodd ei achub gan Iesu o fath arall o 'farwolaeth', a Lasarus a gafodd ei alw o'i fedd ychydig yn unig cyn hynny. Daeth Mair i mewn atynt gan ail-adrodd ei gweithred yn nhw Simon y Pharisead, ond y tro hwn ar ran Lasarus a Simon, a chawsant eu rhyddhau o blith y byw-meirw.

Mae'n bosibl wrth gwrs mai dwy Fair wahanol oeddent. Os felly, yr hyn a gewch ym Methania yw'r 'ferch dda' yn copio gweithred y 'ferch ddrwg' edifar yn hanes Luc, gan ddarostwng ei hun, efallai gwaradwyddo ei hun, oherwydd ei chariad at Grist ac i fynegi diolchgarwch ar ran ei brawd a gur ei chwaer.

Yng Nghapernaum, cafwyd dagrau o edifeirwch; ym Methania teimladau o ddiolchgarwch a llawenydd oedd yn rheoli. Ym Methania, edrychodd Mair yn ôl at fedd Lasarus tra bod Iesu'n edrych ymlaen at ei fedd ei hun. O'i flaen ef, safai Jerwsalem a Gethsemane, ffordd gofidiau a'r Groes a'r bedd, brad, unigrwydd, trallod a marwolaeth. Roedd y tywyllwch yn cau amdano. Daeth Mair ato a chyflawni'r weithred hon, gan roi cymorth iddo i wynebu ei groes. Amhosibl yw cymharu'r hyn a wnaeth Iesu dros ddynion a'r hyn a wnaeth Mair dros Iesu. Gweithred fach o'i heiddo; dibwys i rai ond cyffyrddodd ag ef ar awr ei angen. Ni ddaeth neb arall ato, neb o'r siaradwyr huawdl, neb ond Mair. O am gael dysgu ganddi! Tramgwydd oedd y cyfan i'r Deuddeg. Gwastraff! Rhoi yn afradlon oedd Mair er mwyn y Meistr. Yr oedd ef yn gwbl ymwybodol o'r ffaith bod y tlodion yno bob amser yn disgwyl cymorth.

'A ellwch roi mesur ar gariad?' yw awgrym Iesu yma, ar wahân i'r ffaith ei fod yn rhoi popeth ac yn cymryd, yn wir, hawlio popeth. Mair yn unig a ddaeth â goleuni i Grist yr wythnos honno, i oleuo'r ffordd o'i flaen. Daeth Mair at Oleuni'r Byd gan adlewyrchu'r goleuni yn ei gweithred ac yn ei ymagwedd tuag at ei Gwaredwr.

Eisoes roedd arweinwyr y bobl wedi dechrau cerdded ar eu llwybr drygionus, ac amser eu llwyddiant i'w weld yn agosáu. Yr un pryd, meddiannwyd y disgyblion gan ofn ac ansicrwydd. Ciliodd Jwdas i'r tywyllwch i fradychu ei gyfaill. Ymffrostiodd Pedr a broliodd y deg disgybl arall yn gwbl sicr mai hwy oedd y pwysicaf o'r Deuddeg. Ymhen pedair awr ar hugain, dianc a chuddio wnaeth pob un ohonynt. Ond, daeth Mair a'i eneinio. Byddai yn ei ddilyn at droed ei groes ac at ddrws ei fedd; ar y trydydd dydd, byddai'n cael cwrdd ag ef yn yr ardd a'i danfon i ddweud wrth y lleill. Dengys Mair wrthym beth yw ystyr perthyn i'r Gwaredwr, o fod yn blentyn y Goleuni wrth iddi eneinio Iesu.

Cafwyd pedwar rheswm traddodiadol dros eneinio: (1) i anrhydeddu gwestai; (2) i sefydlu proffwyd, offeiriad neu frenin yn ei swydd; (3) fel arwydd o'r Ysbryd Glân; (4) i berarogli corff. Roedd gweithred Mair yn cynnwys y pedwar. Anrhydeddu Iesu (1) fel gwestai yn ei chartref ac yn ei bywyd, (2) fel proffwyd, offeiriad a brenin, Eneiniog Dduw, (3) fel un oedd yn llawn o'r Ysbryd Glân; a (4) i baratoi ei gorff ar gyfer ei fedd, canys hwn oedd *"Oen Duw sy'n cymryd ymaith bechod y byd"* (Ioan 1: 29). Wedi iddo gael ei eneinio, fe gerddodd Eneiniog yr Arglwydd, y Sanctaidd Un, ymlaen i gyflawni ei ddewis waith, i wasanaethu ac aberthu, i deyrnasu a marw, i farw a theyrnasu. Â Chariad tragwyddol a hollalluog, bu'n orchfygol ar y Groes, er ein mwyn ni oll, er ein hiachawdwriaeth, ac er mwyn y byd.

Gweddi:
Grasusaf Dduw, yn dy ewyllys di y mae ein tangnefedd;
Tro ein calonnau a chalonnau pawb atat ti,
fel trwy rym dy Ysbryd Glân,
y sefydlir ar y ddaear yr heddwch sy'n seiliedig ar gyfiawnder,
trwy Iesu Grist, ein Harglwydd. Amen.

6. DYDD IAU – DYDD Y RHOI

Darllen: Marc 14: 12-16

Dydd Iau oedd dydd y 'Swper Olaf', dydd Gethsemane, dydd prawf Iesu o flaen y Sanhedrin. Yn ei esboniad ar Efengyl Ioan, gofynna'r diwinydd mawr o'r Almaen, Gengel, *'Trwy ba hawl y gwnaf hyn?'* Trwy ba hawl…? Beth a wnawn yma? Ond nid trwy hawl y deuwn, ond trwy ras yn unig. Deuwn i'r fan lle llefarodd Crist, a gweithredu, a dioddef. A thrwy'r cyfan, cawn ei weld fel y mae. Dyma'r Arglwydd! Yma yr amlygir ein ffaeleddau a'n annheilyngdod yn fwy hyd yn oed nag arfer. Tir sanctaidd yw hwn. Cawn ddod yma yn unig drwy wahoddiad i edrych a gwrando. Efe, yr Arglwydd, sydd yn y canol ac nid ninnau. Dyma eglurhad Paul yn ei Lythyr at y Rhufeiniaid (5: 8): '...*prawf Duw o'r cariad sydd ganddo tuag atom yw bod Crist wedi marw drosom pan oeddem yn dal yn bechaduriaid.*'

Gwnaethpwyd y trefniadau ar gyfer y swper yn drwyadl o flaen llaw. Rhaid cadw'r cyfan yn gyfrinach hyd nes i'r amser priodol gyrraedd. Fel ar Sul y Blodau a'r asyn, y mae yma baratoi manwl ar gyfer cadw'r Pasg, ac unwaith eto, mae yna gyfrinair. Danfonodd ddau o'r disgyblion i osod y bwrdd a pharatoi'r wledd. Rhaid iddynt chwilio am "ddyn yn cario stenaid o ddur." Ond, onid gwaith merched oedd cario dŵr?! Pwy oedd y dyn hwn felly? Darganfuwyd yn ystod y degawdau diweddar fod un dosbarth o ddynion yn cario dŵr ymhlith yr Iddewon, sef aelodau o sect yr Esseniaid, a bod ganddynt gymuned yn byw ar Fynydd Seion yn Jerwsalem, lleoliad traddodiadol y Swper Olaf. Aeth y dyn â hwy i oruwch-ystafell i wneud y paratoadau.

Anghytuna Ioan â'r Efengylwyr Synoptaidd ar ddyddiad y pryd hwn. Noswyl y Pasg, medd y Synoptiaid, sef nos Wener. Nos Iau yw dewis Ioan, oherwydd tra bod yr uyn pasgedig yn cael eu lladd yn y Deml a'u gwaed yn pistyllu i lawr y cwteri, fe groeshoeliwyd Iesu ar Galfaria. Dengys ymchwil ar Sgroliau'r Môr Marw i'r Esseniaid gefnu ar galendr y Deml am fod ei chrefydd yn llygredig, gan gadw'r Pasg ar nos Fawrth o'r wythnos honno. Tybed a wnaeth Iesu a'r Deuddeg gadw eu Pasg hwythau ar yr un noson a'u lletywyr? Byddai hynny'n caniatáu mwy o amser i garchariad ac ymddangosiadau Iesu gerbron y llysoedd gwahanol. Pwy a ŵyr? Hoffaf y syniad ond nid oes un sicrwydd am hyn, ond os oes rhaid dewis rhwng y dyddiadau a geir yn yr efengylau, derbyniaf awgrym Ioan i Iesu gadw'r Pasg ddiwrnod cyn y pryd, am fod amgylchiadau yn ei orfodi i wneud hynny.

Paratowyd y wledd gyda'i holl fwydwyd symbolaidd, sy'n atgoffa'r Hebreaid am y Pasg cyntaf a'u gwaredigaeth o alltudiaeth a chaethiwed yr Aifft - *karpas* (persli, letysen, seleri, wedi eu gwlychu mewn dŵr hallt), symbol o halen y Môr Coch; bara croyw, symbol o frys yr Exodus; dŵr hallt, symbol o ddagrau caethiwed; *maror* (llysiau chwerw), symbol o chwerwder caethiwed; *charoset* (afalau, cnau, sinamon a gwin), symbol o'r clai (*cymrwd*) yr oedd yn rhaid i'w tadau chwilio amdano, a hefyd o felystra mewn gofid; wy wedi ei ferwi mewn dŵr hallt, symbol o gylch bywyd a galar, ac ar ôl 70 O.C., o ddinistr y Deml; ac, wrth gwrs, yr oen pasgedig, a'r siancen yn eu hatgoffa o weithred Duw: *"Daeth â ni allan o'r Aifft â llaw cadarn a braich estynedig"* (Deut. 26: 8).

Pedwar cwpan o win i bob person a phob un yn cynrychioli addewid arbennig: (1) Myfi a'ch arweiniaf chwi allan; (2) Myfi a'ch gwaredaf; (3) Myfi a'ch prynaf; (4) Myfi a wnaf chwi yn bobl yn eiddo i mi. Yn ddiweddarach, ychwanegwyd y pumed cwpan, 'Cwpan Elias', a rhaid iddo ddod o flaen y Meseia. Yn yr Haggadah, llyfr gwasanaeth y Pasg Iddewig, gwaith y pen teulu, wrth iddo godi'r bara er mwyn i bawb ei weld yw dweud: *"Bara'r cystudd yw hwn, a fwytaodd ein tadau yng ngwlad yr Aifft. Pawb sy'n newynog – gad iddynt ddod a bwyta. Pawb sydd mewn angen – gad iddynt ddod a dathlu'r Pasg gyda ni. Yma yr ydym yn awr; y flwyddyn nesaf a byddwn yng ngwlad Israel. Caethweision ydym yn awr; y flwyddyn nesaf a byddwn ni yn ddynion rhydd."* Pwrpas yr holl gofio oedd edrych ymlaen at Dduw yn cyflawni ei holl addewidion - wrth gadw'r Pasg i Iddewon a chadw Swper yr Arglwydd i Gristnogion.

Gweddi:

Rhannodd ei fwrdd gydag un a'i bradychodd, un a'i gwadodd,
a'r rhai a gefnodd arno.
Rhannodd ei groes gyda dau leidr.
Rhoddodd ei faddeuant i'r rhai a'i hoeliodd yno.
Ef yw ein Harglwydd.
Ynddo ef yr ymddiriedwn am faddeuant. Amen.

7. RHAN GYNTAF Y WLEDD

Darllen: Marc 14: 17-21

Erbyn yr hwyr y diwrnod canlynol, yr oedd popeth, i bob golwg, yn barod ar gyfer cadw'r Pasg. Gosodwyd y bwrdd a pharatowyd y bwyd ar gyfer y wledd, ond nid awyrgylch gwledd a gafwyd yn yr ystafell. Roedd hi'n amlwg nad oedd y Deuddeg yn barod ar y naill law i ddathlu gwaredigaeth Duw o'i bobl yn y gorffennol, nac i eistedd wrth y bwrdd arbennig hwn gyda'r Meistr ar y llaw arall. Ers i Iago ac Ioan ofyn am y prif seddau yn y Deyrnas roedd y disgyblion wedi parhau i anghytuno a chweryla yn waeth na'r arfer ynglŷn â phwy ohonynt oedd y mwyaf, a phob un yn gwybod ei fod ef ei hun yn bwysicach ac yn well na'r lleill, gan haeddu'r lle gorau wrth ochr yr Arglwydd mewn gogoniant. Nid oedd neb yn barod i ddod yn ail i'r lleill; neb yn barod i ymofyn dŵr i olchi traed ei frodyr. Gwaith israddol oedd golchi traed, gwaith caethweision! *'Pam ddylwn i? Rydw i gystal â'r lleill, os nad yn well!'* Aethant felly i'r wledd gyda llwch ar eu traed a meddyliau cas yn eu calonnau. Wrth gadw'r Pasg, gellir bwyta rhan gyntaf swper y Pasg wrth eistedd neu sefyll mewn unrhyw le yn yr ystafell; ond rhaid eistedd wrth y bwrdd ar gyfer yr ail ran, rhan sy'n fwy ffurfiol.

Mae'n debyg mai bwrdd 'tricluniwm' oedd yn yr ystafell – siâp 'E' heb y darn canol. Eisteddodd Iesu, fel y gwesteiwr yn yr ail sedd o'r dde wrth y darn canol; Ioan ar ei law dde, fel dyn-llaw-dde, i wneud yn ôl ewyllys y gwesteiwr, a Jwdas yn y sedd anrhydeddus ar y chwith. Mae'n bosibl iawn mai eistedd yn y lle olaf, nesaf at y drws, yr oedd Pedr, yn pwdu efallai, am na chafodd eistedd yn lle Jwdas neu Ioan.

Amser o lawenydd yw'r Pasg i Iddewon, gyda llawer o chwerthin yn y rhan gyntaf y dathlu. Ond, ni chafwyd yr un arwydd o lawenydd yma heno, dim ond distawrwydd llethol, annymunol. Dicter a reolodd y lle, dicter sy'n medru arwain at gasineb a gwaeth. Nid oedd lle yn eu calonnau i neb arall, hyd yn oed yr Arglwydd. Eu 'hunan' yn unig oedd yn cyfrif - teimlad cyfarwydd i ni, efallai.

Gweddi:
Drugarocaf Arglwydd, dy gariad di sy'n ein cymell i ddod i mewn.
Roedd ein dwylo'n frwnt, ein calonnau heb eu paratoi;
Nid oeddem yn deilwng hyd yn oed i fwyta'r briwsion dan dy fwrdd.

Ond tydi, Arglwydd, yw Duw ein hiachawdwriaeth,
yn rhannu dy fara gyda phechaduriaid.
Glanha ni, felly, a phortha ni gyda gwerthfawr gorff a gwaed dy Fab,
fel y caiff fyw ynom ni a ninnau ynddo yntau,
ac y cawn, gyda holl gwmni Crist,
eistedd a bwyta yn dy deyrnas. Amen.

Darllen: Ioan 13: 1-15

Eisteddodd pob disgybl wrth y bwrdd, â'u meddyliau'n troi o gwmpas eu byd bach eu hunain. Rhaid bod pob un ohonynt yn ymwybodol o'r ffaith bod ei draed a thraed ei frodyr yn frwnt ond neb yn barod i'w golchi. Tybed na wnaeth neb ystyried bod traed y Meistr hefyd yn frwnt? Byddai'n amhosibl i neb olchi ei draed ef heb olchi traed y lleill hefyd.

Cododd Iesu ar ei draed gan dynnu ei wisg uchaf a gosod lliain o gwmpas ei ganol. Gwisgodd fel caethwas, ac fel caethwas fe gymerodd fasn o ddŵr a mynd o un i un i olchi traed pob un o'r Deuddeg yn eu tro. *'Fe'i gwacaodd ei hun, gan gymryd ffurf caethwas a dyfod ar wedd ddynol. O'i gael ar ddull dyn, fe'i darostyngodd ei hun, gan fod yn ufudd hyd angau, ie, angau ar groes'* (Philipiaid 2: 6-8). Golchodd y llwch oddi ar eu traed a'r balchder o'u calonnau; pob un ohonynt ac eithrio Jwdas. Llwyddodd Iesu i olchi traed Jwdas yn lân ond ni lwyddodd i feddalu'r caledi yn ei galon. Simon Pedr oedd yr olaf. Protestiodd yn gryf yn erbyn bwriad ei Feistr: *'Ni chei olchi fy nhraed i byth!'* Ef oedd yn gwybod orau! Ond, atebodd Iesu, *'Os na chaf dy olchi di, nid oes lle iti gyda mi.'* Newidiodd Pedr ei gân ar unwaith: *'Arglwydd, nid fy nhraed yn unig, ond golch fy nwylo a'm pen hefyd.'* Hyd yn oed wrth iddo geisio edifarhau cafodd ei reoli gan ei hunangarwch. Onid, *'Ymddirieda ynof,'* yw ystyr ateb Iesu? Ar ôl iddo roi ei wisg arno drachefn, sef arwydd o statws dyn rhydd, ac eistedd, gofynnodd iddynt, *'A ydych yn deall beth yr wyf wedi ei wneud i chwi?... Yr wyf wedi rhoi esiampl i chwi; yr ydych chwithau i wneud fel yr wyf fi wedi ei wneud i chwi.'* Ni ddefnyddiodd *'os gwelwch yn dda'* ar ddiwedd ei frawddeg. Nid gobeithio sydd yma ond gorchymyn.

Gweddi:

Dduw graslon,
gwregysodd dy Fab, Iesu Grist, ei hun â thywel
a golchi traed ei ddisgyblion.
Dyro i ni ewyllys i fod yn weision i eraill
fel yr oedd Ef i bawb,
yr hwn a roddodd ei fywyd a marw drosom,
ac eto y mae'n fyw ac yn teyrnasu gyda thi a'r Ysbryd Glân,
yn un Duw, yn awr ac yn dragywydd. Amen.

8. UN O'R DEUDDEG

Darllen: Marc 14: 18-21

Cefais y fraint o ymuno â theulu Iddewig yn Jerwsalem i gadw'r Pasg. Aethom trwy ddefod y noson, mewn dwy ran, dan arweiniad y tad, fel y penteulu. Daeth y mab, bachgen deg oed, ato i ofyn y cwestiwn traddodiadol, *'Pam fod y noson hon yn wahanol i'r holl nosweithiau eraill?* a mynd ymlaen i ychwanegu'r pedwar cwestiwn manwl. Atebodd y tad trwy adrodd hanes y genedl yn llaw 'tragwyddol ein Duw'. Yn ystod y noson, gyda darlleniadau, fe ddatblygodd trafodaeth ddiwinyddol frwd rhwng y tad a'r ddau fab hynaf, gyda phob un o'r tri yn dyfynnu eu hoff rabi. Cafwyd tipyn o anghytuno a dadlau bywiog, gydag ambell i doriad er mwyn cynnig cyfieithiad i'w gwesteion. Wrth i'r ddefod symud ymlaen, cafodd pawb wahoddiad i flasu'r gwahanol fwydydd symbolaidd yn eu tro. Parhaodd y ddefod gofio am tua dwy awr, ond nid dyna ddiwedd y noson, oherwydd ar ôl y cofio dechreuodd y dathlu, ac am ddeg o'r gloch y nos daeth y fam â thwrci enfawr a llysiau i'r bwrdd.

Rhaid mai ail ran y noson sy'n cael sylw gan yr Efengylwyr. Yn sydyn, dyma lais y gwestywr annwyl yn torri ar draws y bwyta tawel, anesmwyth: *'Yn wir, rwy'n dweud wrthych fod un ohonoch yn mynd i'm bradychu i, un sy'n bwyta gyda mi.'* Diddorol yw sylwi ar ateb y disgyblion yn ôl Marc: *"dechreuasant dristau a dweud wrtho, y naill ar ôl y llall, 'Nid myfi?'* Dywedodd yntau wrthynt, *'Un o'r Deuddeg, un sy'n gwlychu ei fara gyda mi.'"* Mor debyg yw dynion a defaid: Dim ond i un frefu, dilyna'r lleill. Dim un o'r Deuddeg yn siŵr o'i hun!

Ai am fy meiau i
dioddefodd Iesu mawr
pan ddaeth yng ngrym ei gariad ef
o entrych nef i lawr.

(John Elias, Caneuon Ffydd, 482)

Gofynnodd Simon Pedr i Ioan i gael gwybod gan yr Arglwydd pwy oedd y bradwr. Tybed ai cywreinrwydd oedd yn ei feddiannu neu ofn mai ef a fyddai'n bradychu'r Meistr. Atebodd Iesu, *'Yr un y gwlychaf y tamaid yma o fara a'i roi iddo, hwnnw yw ef.'* Gyda hynny, cymerodd ddarn o fara a'i wlychu yn yr hylif neu'r sudd, a'i roi i'r gŵr gwadd ar y chwith iddo; arwydd o barch a chariad arbennig. Ar unwaith, ar ôl iddo dderbyn y tamaid, cododd Jwdas a mynd allan o'r goleuni i dywyllwch y nos i fradychu ei gyfaill a'i Waredwr. *'Yr oedd hi'n nos'*, medd Ioan. Brawddeg fer sy'n llwyddo i ddweud cymaint. Brad! – dim ond rhywun y tu mewn i'r gymdeithas all fradychu; ni all brad ddod o'r tu allan. Ysgrifennodd rhywun am y rhyfel rhwng Ffrainc a'r Almaen yn 1870, gan ddweud bod pedair colofn yn ymosod ar Baris o du allan ac un o du fewn, a'r pumed oedd y mwyaf peryglus. *'Jwdas, un o'r Deuddeg'*, werthodd Mab y Dyn i'w elynion. Aelod o'r eglwys, un ohonom ni oedd y bradwr!

Beth yw arwyddocâd y tri deg darn o arian? Ceir sôn am y tri deg darn arian ddwywaith yn yr Hen Destament. Yn ôl Llyfr Exodus 21: 32: *'Os yw'r ych yn cornio caethwas neu gaethferch, y mae ei berchennog i dalu i'r meistr ddeg sicl ar hugain o arian.'* Gwerthwyd Ceidwad y Byd am bris caethwas! Wedyn, yn Secharia 11: 12: *'A bu iddynt hwythau bwyso fy nghyflog, deg darn ar hugain o arian'*; bugail sy'n siarad yma, ac am y swm hwn y bradychwyd Bugail mawr y defaid gan un o'i uyn.

Ar hyd y canrifoedd, ymdrechodd llawer o bobl i ddod o hyd i esboniad am frad Jwdas. Cafwyd nifer o esboniadau ond dim ateb cyflawn! Trachwant, medd rhai. Dyna farn Ioan: *'lleidr ydoedd, yn cymryd o'r cyfraniadau yn y god arian oedd yn ei ofal'*(12: 6). Diwinyddiaeth anghywir, medd eraill: daeth Jwdas i gredu mai Iesu oedd y Meseia, Eneiniog yr Arglwydd, ond ymwrthododd â'i ddulliau. Un esboniad o *'Iscariot'* yw mai *'dyn y gyllell'* ydoedd, yn perthyn i'r Selotiaid, mudiad cudd a oedd yn gwrthryfela yn erbyn Rhufain. Ond, yn lle cael gwared â'r Rhufeiniaid trwy drais, nefol neu ddaearol, sôn a wnaeth Iesu am droi'r foch arall a charu gelynion, a maddau. Bu'n swpera gyda bradwyr a chwislingiaid, gan gynnwys rai o blith y Deuddeg.

Cred rhai mai uchelgais a berodd Jwdas i gefnu ar Iesu. Nid ynfytyn mohono: ar y dechrau edrychodd Jwdas ymlaen at gael swydd o bwys yn llywodraeth yr Israel newydd, ond erbyn hyn, daeth yn amlwg bod y Saer o Nasareth yn colli'r dydd a dyma un o'r Deuddeg yn mynd draw at y gelyn a fyddai'n ennill y dydd. A beth am eiddigedd? O blith y Deuddeg, Jwdas oedd yr unig ddeheuwr a'r lleill i gyd o Alilea. Dieithryn! Ai ei diwedd hi oedd cael ei hun yn ymddangos yn fach o flaen y gogleddwyr hyn i gyd ym Methania ar ôl iddo fynegi ei farn am y ferch yn gwastraffu ennaint drud. Rhaid iddo ddychwelyd at ei bobl ei hun.

Mae ffieidd-dra yn bosibilrwydd hefyd: Yr holl siarad yma am 'frenin yn was' ac am ddioddefaint - llwfrddyn ac nid cawr biau'r fath iaith. Cododd cyfog arno. Roedd Jwdas yn perthyn i'r rhai oedd yn gweiddi am ryddhau'r Iesu arall, Iesu Barabbas, yr ymladdwr dros ryddid ei bobl. Yng ngeiriau Dorothy L. Sayers: *'Bu'n ymladd drosom ni o'r blaen, ac fe ymladda drosom ni eto.'* Brwdfrydedd penboeth yw'r esboniad olaf: mae Iesu'n iawn ond mae'n boenus o araf yn symud. Yn ôl yr esboniad hwn, roedd Jwdas o'r farn bod rhaid achosi gwrthdrawiad er mwyn gorfodi Iesu i weithredu ar unwaith, yn lle oedi. Rhaid iddo herio'r Rhufeiniaid. Byddai hynny'n siŵr o gael y gwladgarwyr allan ar y stryd neu, wrth gwrs, byddai'r llengoedd o angylion yn dod o'r nef.

Mae'n bosibl dewis un neu ragor o'r esboniadau uchod. Ond, y mae yna un esboniad arall. *'Aeth Satan i mewn i Jwdas, hwnnw oedd un o'r Deuddeg',* medd Luc 22: 3. Y frawddeg hon sydd wrth wraidd pob un o'r esboniadau eraill; dyma ffynhonnell pechod Jwdas a llawer iawn o bechodau eraill. Hanfod pechod yw 'Balchder', yr hunan yn y canol. Cerddodd Pedr ar y llwybr hwnnw hefyd ond dysgodd ei wers a throi yn ôl at Iesu. Dim ond trwy wahoddiad y gall Satan (o dan unrhyw enw arall) ddod i mewn. Dewis y tywyllwch a wnaeth Jwdas, gan fradychu Iesu. *'Pwy bynnag ohonoch sy'n ddibechod, gadewch i hwnnw fod yn gyntaf i daflu carreg'* (Ioan 8: 7). Unodd yr Iddewon â chenedl-ddynion i groeshoelio'r Crist.

Crogodd Jwdas ei hun. Onid hon yw trychineb mawr Jwdas? Yn wahanol i Pedr, ni arhosodd Jwdas i weld yr atgyfodiad a chlywed geiriau o faddeuant. Ond, ar y groes, gweddïodd Iesu dros Jwdas a Pedr a Pilat a Chaiffas a'r milwyr a'r lleill - a ninnau hefyd: *'O Dad, maddau iddynt, canys ni wyddant beth y maent yn ei wneud'* (Luc 23: 34). Dyma'r gair olaf am Jwdas yn yr Efengylau.

Ar ôl i Jwdas ymadael, rhoddodd Iesu orchymyn clir a phendant i weddill ei ddisgyblion a'u disgynyddion yn y Ffydd: *'Yr wyf yn rhoi i chwi orchymyn newydd'.* 'Mandatum novum' yw'r Lladin, sy'n rhoi i ni'r enw Saesneg am ddydd Iau Cablyd, sef *Maundy Thursday.* Dyma Ddydd Iau y Gorchymyn Newydd. A beth yw'r gorchymyn newydd? - *'Carwch eich gilydd. Fel y cerais i chwi yr ydych chwithau i garu eich gilydd.'* A tra bod Cristnogion yn parhau i ymwrthod â'i gilydd wrth ddadlau am gwestiynau yn ymwneud â phurdeb athrawiaeth a threfn eglwysig, mor hawdd ydyw inni anghofio gorchymyn mawr yr Arglwydd ei hun. Gwasanaethodd Iesu'r Deuddeg gan orchymyn wedyn iddynt a ninnau hefyd wneud yr un modd, er mwyn cyflawni ei orchymyn, rhaid i bob un ohonynt a ninnau yn gyntaf ganiatáu iddo ein golchi'n lân o'n balchder a'n porthi gyda'i ras. '*Os bydd gennych y cariad hwn tuag at eich gilydd, wrth hynny bydd pawb yn gwybod mai disgyblion i mi ydych*' (Ioan 13: 34-35).

Diddorol yw sylwi ar yr hyn a wnaeth yr eglwysi gyda'r cof o ddigwyddiadau'r Swper Olaf - cadw defod y bara a'r gwin yn unig. Mae'n wir fod rhai heddiw yn ceisio adfer y ddefod golchi traed - ond nid golchi traed yw gorchymyn Crist, ond caru'n gilydd. Llawer haws cadw defodau o rannu bara a gwin a golchi traed na dilyn Crist a charu ein gilydd. Onid gwaith y defodau yw ein harwain a'n galluogi i wneud hynny?

Gweddi:
Grist ein Ceidwad,
er i ni dy fradychu, dy wadu a throi oddi wrthyt,
yr wyt yn parhau i'n caru ac i ymofyn ein cariad ni.
Helpa ni i dderbyn dy faddeuant er mwyn dy adnabod yn well,
ac i ymddiried ein hunain i'th ofal a'th arweiniad di;
gweddïwn yn dy enw di. Amen.

9. BARA A GWIN

Darllen: Marc 14: 22-26

Ar ôl iddo olchi eu traed fel bod ganddynt ran ynddo, a dweud y byddai'n cael ei fradychu, ei wadu, a'i adael ganddynt, esboniodd lawer iddynt ond ni ddaeth ei neges yn glir iddynt tan ar ôl y croeshoelio a'r atgyfodiad. Gweddïodd drostynt hwy a phawb a oedd i ddod ar eu holau, ei weddi fawr, archoffeiriadol (Ioan 17).

Gosodwyd y golchi traed yng nghyswllt y ffaith i Iesu wybod *'ei fod wedi dod oddi wrth Dduw a'i fod yn mynd at Dduw'* (Ioan 13: 3). Dyma gefndir a chyd-destun holl ddigwyddiadau'r Oruwch-Ystafell. Yna, yn y cyswllt hwn, cymerodd Iesu ddarn o fara'r Pasg gan adrodd y weddi Iddewig, draddodiadol: *'Bendigedig wyt ti, Arglwydd ein Duw, Brenin y bydysawd, yr wyt yn dod â bara o'r ddaear er mwyn i ni fwyta ohono. Gorchymynnaist i ni fwyta'r bara hwn.'* Fe'i torrodd a'i roi iddynt gan ddweud, *'Cymerwch; hwn yw fy nghorff.'* Rhoddodd y bara i ddynion a oedd â bywydau toredig. Rhoddodd y bara i gwmni ei ddilynwyr a oedd wedi ei dorri gan raniadau, a oedd yn rhan o fyd rhanedig, wedi ei gaethiwo gan bechod. Rhoddodd iddynt fara'r Pasg, symbol ac arwydd o waredigaeth Duw ac o'u hunaniaeth newydd fel plant Duw. Rhaid i dorth fara gael ei thorri, dyna bwrpas ei chreu. Rhaid i gorff Iesu gael ei dorri ar y groes canys dyna bwrpas ymgnawdoli gras Duw i'r byd. (Gras – cariad at rai nad ydynt yn ei haeddu, nad oes ganddynt hawl arno). Trwy ei dorri y daw undod i ddyn, i'r Eglwys, i ddynolryw ac i'r greadigaeth.

Ar ddiwedd y wledd cymerodd y pumed cwpan o win, cwpan Elias (y traddodiad oedd bod yn rhaid i Elias ddod o flaen y Meseia) gan adrodd y weddi draddodiadol: *'Bendigedig wyt ti, Dragwyddol Un, ein Duw, Brenin y bydysawd, Creawdwr ffrwyth y winwydden.'* Wrth iddo roi'r cwpan iddynt i fynd o law i law ac o wefus i wefus, dywedodd, *'Hwn yw fy ngwaed i, gwaed y cyfamod, sy'n cael ei dywallt dros lawer.'* *'Y cyfamod newydd yn fy ngwaed'*, sydd yn y Llythyr Cyntaf at y Corinthiaid, hynny yw, y berthynas newydd â Duw. Dyma'r Exodus Newydd o gaethiwed i ryddid, o anwiredd i wirionedd, o dywyllwch i oleuni, o farwolaeth i fywyd. Symbol yw'r bara o undod a bywyd; symbol yw'r cwpan gwin o fywyd a llawenydd.

Yn yr Epistol Cyntaf at y Corinthiaid 11: 26, cawn her, gorchymyn ac addewid Swper yr Arglwydd: *'Oherwydd bob tro y byddwch yn bwyta'r bara hwn ac yn yfed y cwpan hwn, yr ydych yn cyhoeddi marwolaeth yr Arglwydd, hyd nes y daw.'* Llefara'r bara am waredigaeth, iachâd, cymod, undod, cyflawniad; tra bod y gwin yn cyhoeddi a rhannu maddeuant a gras, bywyd newydd, tangnefedd, llawenydd. Nid gwylnos galar mo hon, nid ffarwel terfynol, canys deuant ynghyd eto mewn gwledd fwy, gwledd briodas yr Oen. Yn y cyfamser, dyweddïad sydd yma a gwledd dyweddïad Crist â'i Eglwys. Nid yr un yw'r Swper Olaf a Swper yr Arglwydd, canys dathlwn y wledd hon yr ochr yma i'r Groes a'r Atgyfodiad, yr ochr yma i'r swper hwnnw gyda Chleopas a'i wraig (Luc 28: 28-32). Seiliwyd Swper yr Arglwydd ar ddigwyddiadau wrth y bwrdd ar y ddwy noson hyn. Dechreuodd yr Eglwys ddathlu Swper yr Arglwydd cyn i'r Testament Newydd gael ei ysgrifennu, a'r ddefod wedi parhau yng nghanol ei bywyd hyd heddiw, ac i barhau hyd ddiwedd amser. Dyma sail cymdeithas gweision Crist, dyma symbol o'i rodd o undod i'w Eglwys, dyma'r alwad i wasanaethu'r byd a rhannu'r Newyddion Da. Ond beth yw ystyr 'cofio'? Nid mynd yn ôl yn sentimental, ond gwybod ac adnabod yn y presennol. Y mae Crist yma! Y mae'r Arglwydd gyda'i bobl.

Gweddi:
Dduw Dad,
gwahoddaist ni i gyfranogi o'r swper a roes dy Fab i'w Eglwys.
Erfyniwn arnat ein meithrin â'i bresenoldeb,
a'n huno yn ei gariad ef;
yr un sy'n byw ac yn teyrnasu gyda thi a'r Ysbryd Glân,
yn un Duw, yn awr ac yn dragywydd. Amen.

10. ING YR ARDD

Darllen: Marc 14: 27-31

Daeth y dathliad hwn o'r Pasg i ben yn y modd arferol trwy ganu rhai o'r Salmau. Rhaid i Iesu a'i ddisgyblion ymadael â goleuni'r ystafell a mynd allan, fel Jwdas, i dywyllwch peryglus y nos. Cerddodd y cwmni i lawr o Fynydd Seion, heibio tŷ'r Archoffeiriad a wal y Deml, gan groesi'r afon Cedron a mynd i ardd Gethsemane, ar waelod Mynydd yr Olewydd. Ar y ffordd dywedodd wrthynt, *"Fe dda cwymp i bob yr un ohonoch. Oherwydd y mae'n ysgrifenedig, Trawaf y bugail, a gwasgerir y defaid.* [9] *'Ond wedi i mi gael fy nghyfodi af o'ch blaen i Galilea.'* Daeth at Mair yn yr ardd, at y disgyblion yn yr Oruwch Ystafell ac at y deuddyn yn Emaus, ac yn ddiweddarach daeth at y disgyblion ar lan Môr Galilea, i'w porthi, nid yn unig â bara a physgod, ond â bara'r bywyd, gan roi iddynt oll ddechreuad newydd, atgyfodiad neu enedigaeth newydd, a'u danfon allan i'r byd i rannu, nid yn unig y Newyddion Da amdano, ond hefyd bara'r bywyd a gwin y cyfamod newydd. Mae'n bresennol yn awr gyda'i bobl yn ei fyd! *'Fy Nhad sy'n rhoi i chwi'r gwir fara o'r nef. Oherwydd bara Duw yw'r hwn sy'n disgyn o'r nef ac yn rhoi bywyd i'r byd... Myfi yw bara'r bywyd. Ni fydd eisiau bwyd byth ar y sawl sy'n dod ataf fi, ac ni fydd syched byth ar y sawl sy'n credu ynof fi'* (Ioan 6: 32-35). Realiti yn y byd heddiw yw ei groes a'i atgyfodiad. Cawn ddod at y Garddwr a derbyn o ffrwyth Pren y Bywyd.

Unwaith eto, berwodd teimladau Pedr i'r wyneb. *'Er iddynt gwympo bob un, ni wnaf i.'* Ni fedrodd dderbyn rhybudd Iesu iddo ef yn bersonol: *"Yn wir, rwy'n dweud wrthyt y bydd i ti heno, cyn i'r ceiliog ganu ddwywaith, fy ngwadu i deirgwaith.'* Ond taeru gwnaeth yntau'n fwy byth, *'Petai'n rhaid i mi farw gyda thi, ni'th wadaf byth.' A'r un modd yr oeddent yn dweud i gyd.'* Esiampl arall o ddafad yn brefu a'r lleill yn dilyn. Druan â Pedr, methodd ag amgyffred yr hyn oedd o flaen Iesu a'r hyn oedd o'i flaen yntau a'r lleill hefyd.

Gweddi:
O Dduw trugarog,
maddau i mi fy holl bechodau i'th erbyn
ac yn erbyn fy nghyd-ddynion.
Ymddiriedaf yn dy ras a chyflwynaf fy mywyd yn llwyr i'th ddwylo.

Gwna â mi yn l dy ewyllys ac yn l yr hyn sydd orau i mi.
Os byddaf fyw neu farw, byddaf gyda thi,
a thithau, fy Nuw, gyda mi.
Arglwydd, disgwyliaf am dy iachawdwriaeth ac am dy deyrnas. Amen.
(Dietrich Bonhoeffer)

Darllen: Marc 14: 32—42

Gardd breifat oedd Gethsemane. Unwaith eto, y mae'n gwbl eglur i Iesu drefnu ymlaen llaw i gael ddefnyddio'r ardd yn hwyr yn y dydd. Wedi iddo ef a'r disgyblion gyrraedd y fynedfa, fe gymerodd y grŵp mewnol o dri, sef Simon Pedr, Iago ac Ioan i mewn i'r ardd gydag ef, gan adael y gweddill y tu allan. Wedi iddynt fynd i fewn, dywedodd wrth y tri i aros amdano, gan ychwanegu *"Gweddiwch na ddewch i gael eich profi"* (Luc 22: 40).

Aeth ymlaen ar ei ben ei hun a dechrau gweddïo. 'Dechreuodd deimlo arswyd a thrallod dwys'. Defnyddia gyfieithiadau modern Saesneg, nifer o eiriau gwahanol i geisio cyfleu'r hyn sy'n digwydd - ing, anobaith, cynnwrf, aflonyddwch, braw, arswyd, erchylltod. *'Syrthiodd ar y llawr'.* Beth sydd yma? Dywed milwyr bod pob arwr naill ai yn llwfr neu'n wallgof. Gwyddai beth oedd o'i flaen. Edrychodd i safn angau. *'Agonia'* yw'r gair Groeg am ing! Beth yw'r ing hwn? Beth sy'n achosi'r terfysg mewnol? *'Ymgodymu y mae â marwolaeth'*, medd Martin Luther. Cerdded yr oedd yng 'nglyn y cysgodion', 'glyn cysgod angau'. Rhaid i'r dyn sensitif hwn edrych ar holl greulondeb, trais, barbariaeth a chasineb y byd – yr hyn a wna pobl i'w gilydd yn enw egwyddor ac yn enw Duw, yr hyn a wnânt i'r diniwed ac i'w hunain, yr hyn a wnânt i Dduw. Rhaid i 'Arglwydd Bywyd' ddisgyn i waelodion y cyfan oll o bechod a diraddiad dynol. 'Prynodd Crist ryddid i ni oddi wrth felltith y Gyfraith pan ddaeth, er eich mwyn chwi, yn wrthych melltith, oherwydd y mae yn ysgrifenedig, *'Melltith ar bawb a grogir ar bren'* (Gal. 3: 13). Rhaid i'r dibechod hwn gerdded ffordd canlyniadau holl bechod y byd a dioddef yr arwahanrwydd difrodus sy'n ganlyniad i'r awydd dynol i roi 'Hunan' yn gyntaf, sef cael ein gadael ar ein pen ein hunain gyda chwmni'r 'Hunan' a neb arall; arwahanrwydd oddi wrth Dduw a methu ymdeimlo â'i bresenoldeb. Cyfrifoldeb Iesu oedd cyflawni dameg Y Winllan a'r Tenantiaid (Marc 12: 1-12). Yn ei gariad sanctaidd fe ddanfonodd Duw ei Fab i'r byd ond penderfynodd dynion anwir osod

43

eu dwylo arno ef, eu Harglwydd, gan ei gam-drin a'i ladd. Ffordd hunan-ddistryw oedd hon i bawb ohonynt. Llenwyd ef ag arswyd wrth iddo feddwl am y niwed yr oeddent yn ei wneud iddynt eu hunain. Teirgwaith y gofynnodd am ffordd arall i'w cherdded. Ond pan na chafodd un, mynegodd ei barodrwydd i rodio ffordd dioddefaint *'erom ni ddynion ac er ein hiachawdwriaeth.' 'Pontir y gagendor rhwng dyn a Duw nid trwy lwyddiannau dyn ond trwy ddarostyngiad Duw,'*[10] oedd ymateb William Temple i'r stori hon. *'Ond y mae gwendid Duw yn gryfach na chryfder dynol'* (1 Corinthiad 1: 25). Ym mrwydr ac ing yr Ardd, fe goncrodd Iesu ei ddyndod ei hun. Enillodd yr ymdrech fwyaf ar ei liniau. Cododd i'w draed mewn tangnefedd a hyder, wedi paratoi ei hun i wynebu'r brwydrau oedd i ddod i'w ran. Cymerodd i'w ddwylo groes pechod y byd er iachawdwriaeth y byd, a'i dangnefedd, a'i undod, a'i fywyd. Disgrifiodd John Calfin awr Gethsemane fel *'disgyniad ein Harglwydd i uffern'.* Aeth trwy uffern, *'i'r adfyd hwn er mwyn i mi beidio â marw'.*

Mae gan Sidney Carter gerdd sy'n rhoi geiriau ar wefus y lleidr edifeiriol wrth iddo sôn am ei ymgom â Iesu ar Galfaria: *"Duw y dylent ei groeshoelio, yn dy le di a minnau,' dyna beth a ddywedais wrth y Saer yn hongian ar y pren'.*[11] 'Onid peth peryglus yw'r duedd gan ambell i ddiwinyddiaeth am y Groes i rannu undod sylfaenol Duw? *'Ond gwaith Duw yw'r cyfan…. Hynny yw, yr oedd Duw yng Nghrist yn cymodi'r byd ag ef ei hun, heb ddal neb yn gyfrifol am ei droseddau, ac y mae wedi ymddiried i ni neges y cymod'* (2 Corinthiad 5: 18-19). Pren marwolaeth oedd y Groes i Grist; ond pren y bywyd i ni; ei ffrwyth yn sur iawn ar y pren ond yn felys iawn i'r rhai sy'n cael ei brofi.

Wrth iddo ddod yn ôl at y tri disgybl am y trydydd tro, cafodd hwy yn dal i gysgu. Galwodd arnynt i godi ar eu traed! Yr oedd awr bradychu Mab y Dyn wedi cyrraedd. Rhaid iddynt fod yn effro i weld a chlywed, i gofio a dweud.

Gweddi:
O Waredwr y byd, yng Ngethsemane
fe dderbyniaist y cwpan chwerw mewn ufudd-dod i ewyllys y Tad.
Edrych mewn trugaredd ar ein bywydau gwan ac ystyfnig.
Dyro i ni nerth a dewrder fel y rhodiwn yn ddi-ofn
ar lwybr dyletswydd gariadlon,
gan ddilyn yn wastad batrwm dy ufudd-dod drud;
er dy anrhydedd a'th ogoniant, sy'n byw a theyrnasu yn awr
gyda'r Tad a'r Ysbryd Glân, un Duw, byth bythoedd. Amen.

11. BRAD!

Darllen: Marc 14: 43-52

Pan ddaethant yn I at y lleill, fe glywsant sŵn torf yn cyrraedd. Roedd yna ffaglau ar y ffordd a'u golau yn adlewyrchu arfau ac arfwisg. Gwarchodwyr y Deml oedd yno, yn cael eu harwain gan Jwdas Iscariot, un o'r Deuddeg. Aeth Jwdas at Iesu gan ei gyfarch â chusan a dweud, *'Rabbi!'* Dyna arwydd ei frad i'r milwyr. Gair arbennig sydd gan Mathew a Marc am y gusan, sef *kataphilein*, cofleidiad cariadon. Cronicla Luc ymateb Iesu: *"Jwdas, ai â chusan yr wyt yn bradychu Mab y Dyn?"* Ceisiodd Iesu ddarbwyllo Jwdas o arwyddocâd ei weithred, gan roi iddo ei gyfle olaf i edifarhau, er ei fod ei hun yn nwylo'r milwyr. Tynnodd rhywun ei gleddyf a thorri clust un o weision yr archoffeiriad. Yn ôl Ioan, Simon Pedr oedd perchennog y cleddyf a chlust Malchus ydoedd. *"Rhywun o blith y rhai oedd yn sefyll gerllaw"*, medd Marc. Ymwrthod â'r ffordd hon wnaeth Iesu. Gwrthododd ddefnyddio trais, boed yn ddynol nac yn angylaidd.

Gofynnodd Iesu i warchodwyr y Deml esbonio iddo pam y daethant allan i chwilio amdano yn y tywyllwch gan iddynt gael digon o gyfle i'w ddal yng ngolau dydd yn y Deml, lle bu'n dysgu ar y dydd Llun a'r dydd Mawrth o dan eu trwynau. Ond hwythau biau'r awr hon. O wirfodd calon caniataodd iddynt ei gymryd; *'y Bugail da yn rhoi ei hun dros ei ddefaid'.* Wedi iddynt glymu ei ddwylo, aethant ag ef dros yr afon Cedron a heibio'r Deml i gael ei groesholi'n answyddogol yn nhŷ'r Archoffeiriad Annas, cyn iddo gael ei arwain i'r Deml i gyfarfod swyddogol o Lys y Sanhedrin, a chael ei ddifrïo a'i gamdrin gan brif ddynion y genedl a'u gweision.

"Bydd drugarog wrthyf, O Dduw... y mae fy ngelynion yn gwasgu arnaf... yn Nuw yr wyf yn ymddiried heb ofni; beth a all pobl ei wneud i mi?" (Salm 56).

Gweddi:
O Arglwydd Iesu Grist,
yr hwn a ddywedaist mai ti yw'r ffordd, y gwirionedd a'r bywyd;
na wna i ni grwydro unrhyw bryd oddi wrthyt ti,
yr hwn yw'r ffordd;
nac amau dy addewidion di, yr hwn yw'r gwirionedd;

na gorffwys mewn dim heblaw ti dy hun, yr hwn yw'r bywyd.
Dysg ni trwy dy Ysbryd Glân, beth i'w gredu, beth i'w wneud,
ac yma le i gymryd ein gorffwys;
er mwyn dy enw glân. Amen.
(Desideriws Erasmus, 1466-1536)

12. YR ARCHOFFEIRIAD A'R SANHEDRIN

Darllen: Marc 14: 53-65

Yn ôl Ioan 18: 14, 19-24, cymerwyd Iesu yn gyntaf i dŷ Annas, y cyn-archoffeiriad. Yn ôl yr hanesydd Iddewig, Joseffws, bu Annas yn archoffeiriad rhwng 7 O.C. ac 14 O.C. cyn iddo gael ei daflu allan o'r swydd gan y Rhufeiniaid, gweithred anarferol iawn iddynt hwy. Dilynwyd ef gan ei feibion, pump ohonynt yn eu tro, a diarddelwyd pob un ohonynt ymhen amser byr. Dywedodd yr Ymerawdwr Tiberiws iddynt ddod a mynd *'fel clêr ar ddolur'*. Erbyn hyn, mab-yng-nghyfraith Annas oedd yn y swydd, sef Caiaffas. Sylwa'r Esgob Westcott ar y ffaith bod *'y cofnod moel hwn yn datgelu cynllwyniwr medrus sy'n gweithredu fel y penteulu trwy aelodau o'i deulu ei hun.'* Annas oedd y grym tu ôl i'r orsedd. Mae'n bur debyg hefyd mai Annas oedd prif gyfranddaliwr marchnadoedd y Deml, 'Pebyll Annas'. Ceir sôn am Annas a'i deulu yn llyfr y Talmwd, awdurdod yr Iddewon ar eu crefydd a'u bywyd: *'Gwae i dŷ Annas! Gwae i'w hisian sarff! Archoffeiriaid ydynt; eu meibion yn geidwaid y trysorlys; eu meibion-yng-nghyfraith yn warchodwyr y Deml; a'u gweision yn curo'r bobl â ffyn.'* Annas oedd i weld Iesu yn gyntaf; efallai i chwerthin ar ben ei elyn; efallai i sicrhau ei le ei hun yn yr hyn a fyddai'n digwydd o'r dechrau; neu efallai i baratoi'r ffordd i drafodaethau'r llys.

Daeth croesholi Annas i ben a chymerwyd y carcharor i dŷ'r Archoffeiriad Caiffas wrth droed Mynydd Seion. (Darganfuwyd olion y tŷ ar safle eglwys Petros in Gallicantŵ/Sant Pedr Caniad y Ceiliog, gyda grisiau sy'n rhan o'r ffordd o Fynydd Seion i ardd Gethsemane. Hon yw'r ffordd y cerddodd Iesu a'r lleill arni wrth iddynt fynd i ardd Gethsemane. Hon yw'r ffordd y daethpwyd â'r Carcharor ar ei hyd i wynebu'r llys. O dan yr eglwys y mae yna iard, ac wrth ei ochr, carchar â physt fflangellu; ac o dan y cyfan, cell fechan â'r unig ffordd i fynd ati ydy trwy dwll yn y nenfwd).

Saith deg ac un o aelodau oedd gan y Sanhedrin, yn cynnwys offeiriaid (Sadwceaid), henuriaid (perchnogion tir), ac ysgrifenyddion, sef athrawon y Gyfraith (Phariseaid). Roedd tri ar hugain yn ddigon i sicrhau cworwm a dyna'r cyfan oedd Caiffas yn ei ddymuno er mwyn cadw'r aelodau 'meddal' a oedd yn cydymdeimlo â'r Galilead allan.

Nid oedd y dydd wedi gwawrio pan agorwyd y llys gan Caiaffas, y llywydd. Torrwyd y Ddeddf wrth fynd â Iesu at Annas. Cafodd ei thorri eto wrth i'r llys eistedd yn ystod y nos. Cyfyngwyd oriau prawf i olau dydd gan wahardd eisteddiadau o lysoedd yn gyfan gwbl dros gyfnod y Pasg. Y tebygolrwydd yw mai eisteddiad answyddogol o'r llys oedd hwn, yn rhoi cyfle i'r aelodau groesholi carcharor cyn yr eisteddiad swyddogol boreol yn y Deml. Gan fod awr dechrau Gŵyl y Pasg yn agosáu, roedd amser yn brin. Caiaffas, yr archoffeiriad, oedd llywydd y llys. Rhaid bod ganddo gymeriad cryf a gallu gwleidyddol i ddal y swydd am gyfnod cymharol hir. Wrth iddo sôn am Iesu, roedd y prif farnwr eisoes wedi dweud wrth aelodau o'r Sanhedrin, '*Nid ydych yn sylweddoli mai mantais i chwi fydd i un dyn farw dros y bobl, yn hytrach na bod y genedl gyfan yn cael ei difodi*' (Ioan 11: 50). Pwy oedd yr Iesu hwn ond aflonyddwr ar heddwch y wlad - cynhyrfwr, terfysgwr?

Gyda'r wawr symudwyd yr achos i'r Deml ar gyfer eisteddiad swyddogol y Sanhedrin yn Neuadd y Cerrig Nadd. Ar furiau'r neuadd, uwchben y llys, ysgrifennwyd mewn llythrennau aur: '*Gwrando, O Israel: Y mae'r Arglwydd ein Duw yn un Arglwydd*' (Deut. 6: 4), cyffes fawr ffydd pobl Israel, yn cael ei hadrodd mor aml ag yr adroddir Gweddi'r Arglwydd gan Gristnogion. Pwrpas y geiriau oedd rhybuddio ac atgoffa pawb o'u cyfrifoldeb enfawr. "*Y rhai hyn sydd i eistedd mewn barn arno, cynrychiolwyr swyddogol yr Eglwys, etholedigion Duw ar y ddaear. Llefarant ar ran y rhai a alwyd allan o'r byd i'w ddisgwyl Ef, a'i groesawu fel eu Brenin. Eistedda'r rhai hyn - dynion urddasol, parchus, di-fai - mewn hanner-gylch yn ôl yr arfer, er mwyn i farnwyr a'r carcharor edrych i wyneb ei gilydd wrth i'r ddedfryd gael ei chyhoeddi.*"[12] Safodd y carcharor rhwng y ddwy ganhwyllbren fawr. Cyflwynwyd y prif gyhuddiad yn ei erbyn – cabledd. Gwrandawyd ar nifer o dystion â'u tystiolaethau anghyson. Yna, daeth deuddyn a thystio i'r carcharor ddweud, '*Mi fwriaf i lawr y deml hon o waith llaw, ac ymhen tridiau mi adeiladaf un arall heb fod o waith llaw. Ond hyd yn oed felly nid oedd eu tystiolaeth yn gyson.*' Safodd Iesu yno'n fud gydol yr amser.

Cododd yr archoffeiriad ar ei draed a gofyn cwestiwn cyhuddol gyda'r bwriad o gael yr amddiffynydd i gondemnio ei hun, gweithred arall a oedd yn erbyn y Ddeddf: "*Ai ti yw'r Meseia, Mab y Bendigedig?*" Daeth yr ateb fel saeth, '*Myfi yw, ac fe welwch Fab y Dyn yn eistedd ar ddeheulaw'r Gallu ac yn dyfod gyda chymylau'r nef.*' Dyfyniad o Lyfr Daniel 7:13 oedd ganddo, wrth sôn am Fab y Dyn yn cael ei orseddu. Ni ddywedodd Iesu mai ef oedd Mab y Dyn ond yr oedd ei honiad yn gwbl eglur i bawb.

'*Wedi ei ddal*!' gwaeddodd Caiaffas, gan rwygo ei ddillad. '*Cabledd*!' Arswyd ffug a achosodd iddo rwygo ei wisg ond llawenydd a reolodd ei galon, os nad ei wyneb. Yn wir, ffug oedd y cyfan. Hynny yw, ar wahân i ddedfryd unfrydol y llys i'w gondemnio i farwolaeth. Ar unwaith, anghofiodd pawb am urddas y llys. Dechreuodd y barnwyr, yr heddlu a gweision y llys ymosod ar y carcharor yn gorfforol ac yn seicolegol, gan boeri arno a rhoi gorchudd ar ei wyneb a'i gernodio a'i ddyrnodio a gweiddi arno i broffwydo.

Ffars fyddai'r cyfan oni bai am ddifrifoldeb yr achlysur a Mab y Dyn wedi ei gondemnio mewn 'prawf-sioe', mor debyg i lawer o brofion dan gyfundrefn Natsiaidd a Sofietaidd, ond y tro hwn heb gyhoeddusrwydd. Mae'n gwbl amlwg i Iesu gael ei gondemnio cyn iddo sefyll ei brawf, yn wir, cyn iddo gael ei ddal. Cafodd y cam-dystion eu llwgrwobrwyo gan y barnwyr. Cynhaliwyd prawf gan farnwyr a oedd yn barod i dorri llawer o reolau'r Ddeddf er mwyn ei gosbi. Gweithred gwbl anghyfreithlon oedd i'r Sanhedrin gynnal treial a hwnnw heb fod yn ystod oriau'r dydd ac yn Neuadd y Cerrig Nadd yn y Deml. Peth anghyfreithlon oedd dechrau treial heb sicrwydd am euogrwydd yr amddiffynnydd. Ni phenodwyd neb i amddiffyn yr amddiffynnydd. Roedd penderfyniad y llys i'w gondemnio yn syth wedi ei gael yn euog yn anghyfreithlon, gan fod y Ddeddf yn gorchymyn caniatáu i noson fynd heibio ar ôl cael carcharor yn euog cyn ei ddedfrydu.

Ar hyd y prawf hwn gweithredodd y Sanhedrin fel erlynyddion gan anghofio eu cyfrifoldeb o fod yn fainc o farnwyr. Defnyddiwyd y Ddeddf i dorri'r Ddeddf. Taflodd y llys bob cyfrifoldeb am gyfiawnder ymaith. Dilëwyd hawliau'r werin gan warchodwyr yr hawliau hynny. Safodd y carcharor unigryw o flaen awdurdodau dynol ac wrth iddo wneud hynny, fe gynrychiolodd pawb arall a ddioddefodd o'r fath gamdriniaeth. Ond, i goroni'r cyfan, yn nhw'r Arglwydd, gwelwyd cynrychiolwyr Duw yn gwrthod derbyn Etholedig Duw. Safodd ein Barnwr o flaen ei farnwyr.

Ond beth am y carcharor ei hun? Yr hyn a amlygodd ei hun yma oedd ei ddistawrwydd. Rhoddodd ei hun yn nwylo'r Tad yng Ngethsemane ac mewn ufudd-dod, safodd ger eu bron yn ufudd i ewyllys Duw, yn ddewr, yn dangnefeddus. Gwaeddodd yr archoffeiriad: "*Clywsom ein hunain y geiriau o'i enau ef*" - rhoddodd *iddynt reswm am ei wrthod a'i gondemnio, ond i'r rhai sy'n credu, sylfaen ffydd a gobaith yng Nghrist sydd yn ei eiriau. Yr ydym yn "gwbl sicr na all angau nac einioes… ein gwahanu ni oddi wrth gariad Duw yng Nghrist Iesu ein Harglwydd"* (Rhuf. 8: 38-39). *"Pa raid i ni wrth dystion bellach? Oherwydd clywsom ein hunain y geiriau o'i enau ef."* Y cam nesaf oedd mynd â Iesu at Pilat, rhaglaw Rhufain, i'w berswadio neu ei orfodi i wneud eu hewyllys a chondemnio'r Saer o Nasareth i farwolaeth.

Gweddi:
O Arglwydd Iesu Grist, dy gondemniad anghyfiawn a gondemniwn yn awr.
Gwared ni rhag bod yn faleisus ac angharedig yn ein hymwneud ag eraill,
rhag ofn i ni wneud i ti yr hyn a wnawn i eraill
gan dy groeshoelio drachefn, ein Gwaredwr, ein Brawd a'n Harglwydd, byth bythoedd. Amen.
(Yn seiliedig ar E. Milner-White)

Simon Pedr

Darllen: Marc 14: 66-72

Yn y cyfamser, daeth Simon Pedr, un o'r Deuddeg, i dŷ'r archoffeiriad, gan fynd i mewn i'r cyntedd lle'r oedd heddlu'r Deml yn aros gyda gweision yr archoffeiriad. Dangosodd Pedr y dewrder oedd yn nodweddiadol ohono, yn ogystal â'r hunanhyder a wnaeth iddo frolio am ei ffyddlondeb ar y ffordd i ardd Gethsemane pan gyhoeddodd ei barodrwydd i farw gydag Iesu. Ond llwyddodd morwyn â thafod miniog ei ddadchwythu. Gyda llw, fe dyngodd nad oedd yn adnabod y Galilead. Wrth i'r ceiliog ganu, daeth Iesu allan o'r tŷ yn ei gadwyni gydag olion y cam-drin yn amlwg arno. *"Troes yr Arglwydd ac edrych ar Pedr, a chofiodd ef air yr Arglwydd wrtho, 'Cyn i'r ceiliog ganu heddiw, fe'm gwedi i deirgwaith.' Aeth allan ac wylo'n chwerw"* (Luc 22: 61-62). Edrychiad o farn (datguddio'r gwir sefyllfa) ac o drugaredd oedd gan yr Arglwydd. Cadarnhaodd Iesu'r hyn a ddywedodd yn y Swper Olaf wrth iddo edrych ar Pedr. Ni wnaeth y ffaith bod un arall o'r Deuddeg wedi ei wadu y tro hwn ei rwystro rhag mynd ar ei ffordd i'r Groes. Cerddodd ymlaen i wynebu ei farnwyr ac i rodio'r llwybr i Golgotha. Amhosibl ydoedd iddo gyrraedd gardd yr Atgyfodiad ar y dydd cyntaf o'r wythnos heb iddo rodio'r ffordd hon. Yr un mor amhosibl yw i'w ddilynwyr brofi llawenydd y Pasg heb iddynt hwythau hefyd ddewis rhodio ffordd ei Groes.

Gweddi:

O Arglwydd Iesu Grist, edrych arnom gyda'r llygaid a edrychodd ar Pedr,
fel y cawn ninnau, gyda Pedr, edifarhau,
a thrwy dy gariad gael maddeuant ac adferiad;
er mwyn dy drugaredd. Amen.
(Yn seiliedig ar Lancelot Andrewes, 1555-1626)

13. DAU FARNWR

Darllen: Marc 23: 1-25,
Ioan 18: 28-19: 22

"*A groeshoeliwyd hefyd dan Pontiws Pilat*" medd Credo Nicea. Ond pwy oedd y Pontiws Pilat hwn? Penodwyd ef yn rhaglaw Jwdea yn y flwyddyn 26 O.C. Ychydig iawn a wyddom amdano. Rhaid ei fod yn filwr profiadol a rheolwr llwyddiannus i gael ei benodi i dalaith mor anodd. Serch hynny, nid oedd ei berthynas â'r Iddewon yn un hapus o gwbl. Nid oedd yn deall y bobl hyn; yn wir, ni ddangosodd unrhyw awydd i'w deall. Dirmyg oedd ganddo tuag atynt hwy a'u crefydd.

Yr hanesydd, Joseffws, sy'n croniclo'r hanes i ni. Lleolwyd pencadlys y rhaglaw yng Nghesara Maritima ar lan Môr y Canoldir. Garsiwn Rufeinig fach oedd yn Jerwsalem am y rhan fwyaf o'r flwyddyn, yn defnyddio caer Antonia fel gwersyllfa, a chael ei atgyfnerthu adeg y prif wyliau Iddewig. Safai'r Antonia uwchben llysoedd y Deml, gan roi i'r Rhufeiniaid le da i gadw golwg fanwl ar weithgareddau'r Iddewon adeg gŵyl. Roedd hi'n arferiad gan fyddinoedd Rhufain i ymdeithio i bob man dan arweiniad eu heryrod Rhufeinig gyda phenddelw Cesar arnynt – i bob man yn yr ymerodraeth gydag un eithriad, sef dinas sanctaidd yr Iddewon, Jerwsalem. I'r Iddewon, delwau cerfiedig oedd yr eryrod hyn â symbolau o'r duw Cesar arnynt, ac felly yn wrthun yn eu golwg hwy. Er mwyn osgoi terfysg yn Jerwsalem, byddai catrodau Cesar yn cuddio eu heryrod wrth fynd trwy'r ddinas. Roedd y fath amarch tuag at Rufain yn annerbyniol i Pilat a phenderfynodd ddangos pwy oedd y meistr yn Jwdea. Danfonodd ei filwyr i Jerwsalem liw nos gan guddio eu heryrod yn ôl yr arfer, ond erbyn y bore, roedd yr eryrod i gyd i'w gweld ar furiau'r gaer, yng ngolwg y Deml. Tramgwydd oedd hyn i'r addolwyr Iddewig ac achosodd gythrwfl mawr. Danfonwyd dirprwyaeth at Pilat yng Ngesarea Maritima, a dilynodd ei haelodau hi y rhaglaw i bobman. Digwyddodd i'r rhaglaw a'r Iddewon hyn ddod wyneb yn wyneb un diwrnod. Tynnodd pob milwr ei gleddyf ac mewn ymateb, dinoethodd pob aelod o'r ddirprwyaeth ei war a llwyddodd eu gwrthsafiad di-drais orfodi rhaglaw Rhufain i osod yr eryrod o'r golwg.

Sarhad nesaf Pilat oedd hongian tarianau addurniadol mewn mannau amlwg yn ei breswylfa yn Jerwsalem, sef hen balas Herod Fawr. Yr hyn a barodd tramgwydd i'r Iddewon y tro hwn oedd bod enw'r Ymerawdwr Tiberiws ar y tarianau ac yntau'n dduw yng ngolwg Rhufain, gan wneud y tarianau'n ddelwau cerfiedig. Palestina oedd yr unig dalaith Rufeinig lle na orfodwyd ei thrigolion i addoli'r duw Cesar o leiaf unwaith y flwyddyn. Penderfynodd Pilat newid hynny gan orfodi ei dalaith i gydymffurfio â gweddill yr ymerodraeth. Danfonodd yr Iddewon lythyr i Rufain i fynegi eu cwyn a chafodd y rhaglaw ei geryddu gan Tiberiws gyda gorchymyn i dynnu'r tarianau i lawr.

Yn ddiweddarach, penderfynodd Pilat fod angen gwella'r cyflenwad dŵr i ddinas Jerwsalem. Aeth ati i godi dyfrffos newydd, ond i dalu am y gwaith, fe gymerodd arian o drysorfa'r Deml. Pan aeth y newyddion ar led drwy'r ddinas daeth tyrfaoedd ynghyd i brotestio, gan greu perygl o derfysg arall. Ymateb Pilat oedd danfon ei filwyr allan i wynebu'r torfeydd. Er iddo roi gorchymyn i'w filwyr i ddefnyddio'r grym lleiaf posibl, aeth y sefyllfa allan o reolaeth yn llwyr. Cafodd llawer o Iddewon eu niweidio, gan gynnwys pobl ddiniwed a oedd yn sefyll o gwmpas y lle. Danfonwyd cwyn arall yn ei erbyn i Rufain!

Yn ychwanegol i hynny, rhestrodd yr athronydd Iddewig, Philo o Alecsandria, gwynion eraill yn ei erbyn: llygredigaeth, gweithredoedd haerllug, anrhaith, parodrwydd i sarhau pobl, creulondeb, llofruddiaethau helaeth, heb na phrawf na chondemniad, ei ddiffyg dynoliaeth ddiddiwedd.

Talaith Samaria oedd lleoliad y gwrthdrawiad olaf rhwng y bobl a'r rhaglaw, y tro hwn yn nhref Samaria. Yn ôl traddodiad Samaritanaidd, claddwyd llestri'r Deml ar Fynydd Gerisim. Honnodd rhyw dwyllwr ei fod yn gwybod am leoliad y trysor ac ymgasglodd dilynwyr lawer ato yn nhref Tirbatha. Pan glywodd Pilat fod torfeydd yn ymgasglu yno danfonodd filwyr i ddinas Samaria. Lladdasant lawer o bobl a dienyddiwyd yr arweinwyr. Dyma Gyngor y Samaritaniaid yn cwyno wrth raglaw Syria. Cafodd Pilat orchymyn i fynd i Rufain i roi adroddiad i'r ymerawdwr ei hun, ond bu farw Tiberiws cyn i'r rhaglaw gyrraedd a diflannodd Pilat o'r darlun.

Gerbron y dyn hwn yr arweiniwyd eu carcharor gan yr awdurdodau Iddewig. Roedd yr archoffeiriad a'i lys yn awyddus i'r rhaglaw Rhufeinig ei ddedfrydu i farwolaeth, gan nad oedd ganddynt hwy'r hawl i ddefnyddio'r gosb eithaf. I bob golwg, nid oedd y mater hwn o bwys mawr; dim ond saer o'r bryniau, un o'u pregethwyr teithiol hwy oedd y carcharor. Er bod hyn o bwys llawer mwy i'r arweinwyr Iddewig, ni sylweddolodd neb pa mor bwysig oedd y prawf hwn, na phwy oedd y carcharor hwn.

Bu'n rhaid i'r rhaglaw godi o'i wely yn fore yn wyneb dymuniad pendant yr awdurdodau Iddewig i gyfarfod ag ef. Galw yr oeddent am brawf a dedfryd (a dienyddiad) ar unwaith er mwyn i'r cyfan fod drosodd cyn dechrau Gŵyl y Pasg. Ond, gan nad oedd hi'n bosibl i'r archoffeiriad a'i ffrindiau roi eu traed ar lawr y palas heb iddynt halogi eu hunain mor agos at drothwy'r Pasg, rhaid oedd i gynrychiolydd Rhufain Fawr ddod allan atynt hwy. Gofidient ynglŷn â chael eu halogi gan deils Rhufeinig ond ni ofidiasant o gwbl am ddefnyddio celwydd ac anghyfiawnder i ladd dyn da, dieuog. Daeth Pilat allan, gan sefyll ar lwyfan yn wynebu iard y palas. O'i flaen, safai'r carcharor yn ei gadwyni, gydag olion camdriniaeth arno. Un Iesu, mab Joseff, saer, oedd eisoes wedi ei gondemnio gan y Sanhedrin fel troseddwr a oedd yn haeddu marwolaeth.

Wynebodd y rhaglaw a'r carcharor ei gilydd, barnwr Cesar a Barnwr Duw. Cynrychiolai'r carcharor y gorchfygedig a'r gorthrymedig, y tlawd a'r darostyngedig, tra bod y barnwr yn cynrychioli Rhufain Imperialaidd a'i hymerawdwr, gwareiddiad, cyfraith, trefn, heddwch, grym a chyfiawnder Rhufain. Pilat oedd cynrychiolydd y crach, y bobl uwchraddol, a oedd yn ymfalchïo yn y ffaith iddynt wneud popeth yn iawn a theg wrth iddynt reoli pobl eraill (naws dosbarth rheolwyr Rhufain a phob gwlad imperialaidd arall hyd heddiw).

'*Beth yw'r cyhuddiad*?' oedd cwestiwn cyntaf y rhaglaw. Ateb rhyfedd a gafodd ganddynt: "*Oni bai bod hwn yn droseddwr, ni fuasem wedi ei drosglwyddo i ti.*" Ai 'meindia dy fusnes, gwna dy waith' yw hyn, neu ymgais i beidio ag ymhelaethu? Ateb Pilat oedd dweud, 'gan iddynt gondemnio'r carcharor yn ôl eu deddfau eu hunain, dylent ei gosbi hefyd dan yr un deddfau'. Dull yr Iddewon o ddienyddio oedd llabyddio, nid croeshoelio, ond nid oedd ganddynt hawl i ddienyddio neb.

Aeth Pilat yn ôl i mewn i'r Praetoriwm, gan fynd â Iesu gydag ef. Ar ôl ei holi'n fanwl, penderfynodd y rhaglaw nad oedd unrhyw achos iddo ei ateb. Pan glywodd yr archoffeiriad a'i gefnogwyr yr hyn oedd gan Pilat i'w ddweud, ymatebwyd yn ffyrnig. Taerasant i'r carcharor achosi cynnwrf ymhlith y bobl, gan ddechrau yng Ngalilea. Brenin Herod Antipas oedd yn gyfrifol am y gyfraith yng Ngalilea, ac yr oedd yn dda gan Pilat gael gwared â'r carcharor a danfon Iesu, fel un o drigolion Galilea, at Herod. Yn ffodus iawn i Pilat a'r archoffeiriad, roedd y brenin yn digwydd bod yn Jerwsalem ar y pryd. Bu'n awyddus am gyfnod hir i weld a holi Iesu o Nasareth. Pan safodd Iesu o'i flaen, ceisiodd Herod ei orfodi i siarad ond gwastraff amser oedd ei holl groesholi. Mewn rhwystredigaeth a dirmyg, gan anghofio ei gyfrifoldeb fel barnwr a brenin, penderfynodd Herod Antipas gael tipyn o hwyl gyda'i garcharor. Gwisgwyd Iesu mewn dillad ysblennydd a chafodd ei watwar yn greulon gan y brenin a'i lys, cyn ei ddanfon yn ôl at Pilat. Daeth y ddau elyn yn gyfeillion y diwrnod hwnnw oherwydd hyn.

Rhaid felly i gynrychiolydd cyfraith Rhufain ddychwelyd i'r Praetoriwm ac ail-ddechrau'r prawf. *"Ai ti yw Brenin yr Iddewon?"* oedd ei gwestiwn cyntaf. *"Beth wnaethost ti?"* Daeth yr ateb annisgwyl, *"Nid yw fy nheyrnas o'r byd. Deuthum i'r byd i dystiolaethu i'r gwirionedd. Y mae pawb sy'n perthyn i'r gwirionedd yn gwrando ar fy llais."* Gofynnodd Pilat gwestiwn arall: *"Beth yw gwirionedd?"* Agorodd Ffransis Bacon ei draethawd 'Gwirionedd' gyda'r frawddeg fythgofiadwy: *"Beth yw gwirionedd? medd Pilat cellweirus, gan beidio ag aros am ateb."* Gan nad oedd y carcharor yn defnyddio iaith gyfrwys gwleidyddiaeth, methodd y barnwr â deall ei eiriau na'i ddistawrwydd chwaith. Aeth yn ddiamynedd am ei fod yn siŵr bod y dyn hwn yn ddieuog a bod yr awdurdodau Iddewig am gael gwared ohono am resymau y tu hwnt i ffiniau deddf.

Dychwelodd at y dorf y tu allan, gan geisio meddwl am ffordd i sicrhau rhyddid i'r carcharor rhag llid ei elynion a chael dihangfa iddo'i hun o sefyllfa beryglus. Cafodd fflach o oleuni: yr oedd yna draddodiad o ryddhau un troseddwr i'r bobl adeg guyl y Pasg, ac Iesu oedd y dyn addas ar gyfer yr uyl hon. Ond methu â chael ei ffordd ei hun wnaeth y Rhufeiniwr yn wyneb casineb y dorf tuag ato ef a thuag ar y Galilead. Gofynnodd Pilat i'r dorf i dderbyn Iesu ond gwrthod a wnaethant, dan berswâd yr archoffeiriaid a'u gweision, gan hawlio rhyddhau Barabbas yn ei le. 'Terfysgwr' oedd Barabbas, ymladdwr treisgar o rengoedd mudiad yn ymladd yn erbyn Rhufain. Yn y ddrama 'The Man born to be King', gan Dorothy L. Sayers, hawliodd y dorf ryddid y terfysgwr trwy weiddi, *"Ymladdodd trosom o'r blaen ac ymladda trosom eto."* Ceir traddodiad sy'n dweud mai Iesu oedd enw Barabbas hefyd. Ystyr yr enw yw, *'ef a wareda ei bobl...'* Cwestiwn Pilat iddynt felly a chwestiwn hanes i bawb yw: *"Pa waredwr yw eich dewis? – Iesu, Mab Adda, y terfysgwr treisgar, neu Iesu, mab Mair, Mab y Dyn, Mab Duw?"*– dyn y gyllell a'r waywffon, dyn y dryll a'r bom neu'r Dyn sy'n dod â maddeuant a chymod, gras a thangnefedd i'r byd. Saif y cwestiwn o flaen ein llygaid o hyd.

Collodd Pilat y frwydr. Roedd sicrhau heddwch yn Jerwsalem a'i ddyfodol ei hun fel uchel swyddog yr ymerodraeth, yn bwysicach na dyfodol dyn di-nod o genedl orthrymedig, gas. Dywed Ioan iddo olchi ei ddwylo, y dwylo a ysgrifennodd warant y dienyddiad wedyn! Roedd y warant i'w gosod ar ben croes yr un a oedd i'w ddienyddio ac ysgrifennwyd hi yn y tair iaith swyddogol - Hebraeg (iaith crefydd), Groeg (iaith diwylliant) a Lladin (iaith cyfraith a llywodraeth). Byddai pawb yn deall o leiaf un ohonynt. 'Brenin yr Iddewon' oedd y cyhuddiad yn erbyn y carcharor a gwnaeth arweinwyr yr Iddewon yn gynddeiriog. Enillodd Pilat un fuddugoliaeth fach, wedi'r cyfan.

Cafodd cyfiawnder, cyfraith a threfn, yr heddwch Rhufeinig eu gwaradwyddo, wrth i Pilat eu bradychu, yn yr un modd ag y bradychwyd Deddf Moses a chywirdeb crefyddol gan yr archoffeiriad a'i gyfeillion. Rhoddwyd cofeb i raglaw Jwdea a fydd yn para hyd byth: mewn eglwysi Cristnogol ar draws y byd, ar y Sul a dyddiau eraill, caiff y 'Credo Apostolaidd' ei adrodd: *"Dioddefodd dan Pontiws Pilat, a groeshoeliwyd, a fu farw ac a gladdwyd."*

Mathew sy'n rhoi hanes Pilat yn golchi ei ddwylo. Ond, a oes modd iddo gael ei ddwylo'n lân? *'Nac oes'*, medd Lady Macbeth yn nrama Shakespeare. *'Oes'*, medd eu proffwyd Eseia (1: 18): *'Pe byddai eich pechodau fel ysgarlad, fe fyddant cyn wynned â'r eira...'* Aeth Iesu i'w groes, ei gorff yn ddrylliedig ond ei anrhydedd yn gyfan. Gwirionedd a gras enillodd frwydr Calfaria. Y dyn dirmygedig hwn ar ei groes yw unig obaith Pontiws Pilat, unig obaith Caiaffas ac Annas, unig obaith Jwdas a Pedr, unig obaith gweddill y Deuddeg, unig obaith pob un arall ohonom. *'Dyma Oen Duw sy'n cymryd ymaith bechod y byd.'* (Ioan 1: 29).

Gweddi:
Arglwydd Iesu Grist,
a fradychwyd am ddeg ar hugain o ddarnau o arian,
a'th ddisgyblion yn gwrthgilio,
a'th wadwyd gan Pedr,
a'th watwarwyd gan Herod,
a'th fflangellwyd gan Pilat,
a'th hoeliwyd i'r groes:
diolchwn i ti mewn gostyngeiddrwydd a chyda'n holl galon
am dy ddioddefaint a'th farwolaeth,
trwy'r rhai hyn y cawsom faddeuant a'n gwared. Amen.
(J. W. G. Masterton)

14. Y MILWYR

Darllen: Marc 15: 16-20

Trosglwyddwyd y carcharor i ofal y milwyr a chymerwyd ef i iard y Praetoriwm. Pwy oedd y dynion hyn a fu'n ei gam-drin yn y fath fodd? Milwyr Rhufain oeddent, yn 'ufudd i orchmynion' ac yn cyflawni 'eu dyletswydd', ac mor debyg felly i lawer o ddynion eraill ar hyd yr oesau hyd heddiw. Roedd tua chwe chant ohonynt yn yr Antonia a chredir eu bod yn perthyn i'r Ail Gatrawd Eidalaidd. Buont ar ddyletswydd am oriau oherwydd yr Iddew bach, eiddil hwn ac arweinwyr ei genedl ofnadwy. Yr oedd yn gas ganddynt y wlad arswydus hon a'i phobl, a fu'n achosi problemau diddiwedd i luoedd cyfiawnder Rhufain. Onid braint i bobl orthrymedig trefedigaethau Rhufain oedd cael cyfrannu o'u gwareiddiad imperialaidd a'r Pax Romana (heddwch Rhufain)? Ond, yn lle bod yn ddiolchgar, y cyfan a wnaethant oedd disgwyl eu cyfle i roi cyllell yng nghefn unrhyw un ohonynt.

Mor wahanol oedd y dyn hwn i'r Rhufeiniaid dewr, a hyd yn oed i Iddewon eraill. Nid oedd gair ganddo wrth iddo gael ei fflangellu, dim rhegi, dim jocian, ac mor wahanol i'r Iddew arall a fu yn eu dwylo - y Barabbas hwnnw, ymladdwr dewr yn siarad iaith milwyr. Gorchmynnodd Pilat i Iesu gael ei fflangellu fel rhan o broses ei ddienyddio, sef ei arteithio mewn ffordd ofnadwy, trwy ddefnyddio chwip o ledr gydag esgyrn miniog a darnau o blwm arni. Lladdwyd llawer o ddynion gan y fath gamdriniaeth ac aeth eraill yn wallgof. Ychydig iawn oedd yn deffro ar ddiwedd y driniaeth erchyll hon. Ond, nid dyna ddiwedd ar ei ddioddef. Ar ôl ei fflangellu roedd cyfle ganddynt i gael tipyn o hwyl gydag ef, a thalu rhywfaint yn ôl iddo am flinder y dydd a thriciau cas ei genedl.

O dan leiandy'r Chwiorydd Seion yn Jerwsalem, darganfuwyd iard gyda ffordd wrth ei hymyl. Cred archeolegwyr mai hon yw'r Gabbatha, y Palmant, y tir tu allan i'r Praetoriwm. Ar un o lawrlechi'r iard, fe welir siâp gêm fwrdd wedi ei grafu, gan filwr Rhufeinig mae'n debyg. *Basilews* (Y Brenin) yw enw'r gêm, rhywbeth tebyg i *Monopoly*, i'w chwarae trwy daflu dis. Yn achlysurol, rhoddwyd carcharor i'r milwyr ar gyfer y gêm – rhaid cadw'r milwyr yn hapus! Ceir symbolau ar y bwrdd, gan gynnwys chwip, coron ddrain ac ati. Wrth i filwr symud ar y bwrdd yn ôl rhif y dis, a glanio ar un o'r symbolau, roedd ganddo'r hawl i benderfynu a fyddai carcharor yn derbyn y gosb honno ai peidio. Gwobr enillydd y gêm oedd cael penderfynu a ddylid lladd y carcharor neu adael iddo fyw. Mae'n bosibl, medd rhai arbenigwyr, fod y milwyr wedi dechrau chwarae '*Basilews*' gydag Iesu wrth iddynt aros am y gorchymyn i fynd ag ef i Galfaria.

Roedd hi'n hen bryd am fwy o sbort. Gan mai 'Brenin yr Iddewon' oedd y dyn hwn, rhaid ei wisgo fel brenin. Rhoddwyd mantell milwr ar ei ysgwyddau gyda'i leinin coch y tu allan yn debyg i liw gwisg frenhinol. Plethodd un ohonynt ddrain at ei gilydd er mwyn creu coron a'i gwasgu ar ben yr Iddew. Roedd y symbolaeth yn gwbl eglur, canys yn y ganrif gyntaf Oed Crist, cafwyd darlun o Cesar yn gwisgo coron o bigau llachar ar arian Rhufeinig, fel pelydrau'r haul, neu goron ddrain. Rhoddwyd gwaywffon yn ei law fel teyrnwialen. Roedd y brenin yn barod iddynt ei gyfarch. Dyn cwbl ddieuog yn disgwyl dienyddiad oedd hwn, wedi ei gam-drin gan yr archoffeiriad, y Sanhedrin, heddlu'r Deml a'r dorf, gan Herod a'i lys a'i filwyr. Cafodd ei waradwyddo ganddynt ac yna ei fflangellu, ac yn awr dyma filwyr Rhufain yn ei watwar a chael hwyl am ei ben. Ar ddyletswydd gwaeddant: '*Henffych well, Cesar, Gorchfygwr, Ymerawdwr!*' Yma, cri debyg sydd ganddynt: '*Henffych well, Frenin yr Iddewon!*' Wrth gwrs, nid dyma'r unig dro i Grist gael ei wisgo fel milwr; enghraifft arall yw 'Christ in Khaki' yn ystod y rhyfel byd cyntaf.

Bywyd caled a chreulon oedd bywyd y milwr Rhufeinig. Efallai bod llawer o'r milwyr hyn wedi profi llach tebyg ar eu cefnau eu hunain. Roeddent yn haeddu tipyn o hwyl, peth da i godi calon y catrawd, dyna oedd cred y fyddin. Pa niwed oedd yn eu chwarae? Dirmyg sydd ganddynt tuag at y carcharor am ei fod yn ddi-asgwrn cefn gyda'i siarad am garu cymydog a maddau a cherdded yr ail filltir. Hefyd, i'r milwyr, roedd y dyn hwn yn cynrychioli ei genedl a'i chrefydd. Dirmyg y concwerwr a'r imperialydd sydd yma at y rhai a goncrwyd ac yn arbennig casineb at yr Iddewon a fu'n achosi mwy o helynt na'r un arall o'r cenhedloedd; cenedl orchfygedig oedd wedi ei hesgusodi o gymaint o reolau Rhufain - yr unig genedl i fod yn rhydd o orfodaeth filwrol am nad oeddent yn barod i ymladd ar y Saboth; yr unig wlad lle nad oedd byddin yr ymerodraeth yn medru ymfalchïo yn ei heryrod ar y stryd. Nid peth newydd mo hiliaeth. '*Pa wahaniaeth sydd, os ydyw'n gweithio?*' oedd ymateb bechgyn o ysgol fonedd Seisnig wrth iddynt weld tystiolaeth o gam-drin carcharorion yn Kenya adeg Mau Mau.

Mae'r geiriau i'w clywed o hyd; onid dyma hanes yr hil ddynol? Yr hyn sy'n ofnadwy yma yw bod Mab Duw yn cael ei gam-drin fel un o dlodion y llawr, a gafodd eu cam-drin fel hyn erioed. Gweithred unigryw sydd yma ar un llaw, ond ar y llaw arall, fe gynrychiola holl gamdriniaeth hanes y ddynoliaeth. Y mae Crist yn casglu pawb sydd wedi dioddef ar hyd hanes y byd. Beth bynnag a wna dynion i'w gilydd, gwneud hynny y maent i Dduw.

Barn William Barclay yw bod y milwyr yn llai euog na'r arweinwyr Iddewig am eu bod yn gweithredu mewn anwybodaeth. Am unwaith, rhaid anghytuno ag ef. Mae'n wir na all neb eu condemnio am gabledd, ond yn ôl y proffwyd Amos, y maent yn euog o droseddau yn erbyn dynoliaeth. Efallai mai bod yn annynol yw'r cabledd mwyaf.

Gweddi:
Arglwydd Iesu Grist, dy gariad di dy hun achosodd i ti gael dy hoelio i'r groes.
Grist ein Brawd, ein pechod ni a'th hoeliodd di i'r groes,
ond dy gariad di a'th adawodd yno. Dy gariad di ofynnodd am faddeuant i'th lofruddwyr.
Dyro i ni dy gymorth, Arglwydd, i dderbyn mwy o'th gariad er mwyn i ni garu'n brodyr a'n chwiorydd yn nheulu'r Ffydd a'n cymydog yn y byd.
Pâr i'th faddeuant di ein galluogi i faddau i eraill,
er mwyn dy ras. Amen.

15. Y GROES

Darllen: Marc 15: 21-41,
Mathew 27: 45-57,
Luc 23: 26-49,
Ioan 19: 17-30

Cyrhaeddodd yr awr i roi'r gorau i'r sbort. Gwisgwyd y carcharor yn ei ddillad ei hun. Gosodwyd trawst ei groes ar ei ysgwydd a'i arwain allan i'r stryd i gymryd y ffordd hiraf i'r lleoliad dienyddio y tu allan i furiau'r dref, gyda gwarant ei gosb yn cael ei chario o'i flaen.

Yn ei wendid, ni allodd y carcharor hwn gario ei groes a syrthiodd y dyn a'i lwyth i'r llawr. Defnyddiodd y milwyr eu hawl i alw rhywun o'r dorf i'w chario yn ei le. Simon o Gyrene, 'tad Alexander a Rwffus,' a ddewiswyd ac yntau, mae'n debyg, wedi dod o Ogledd Affrica er mwyn dathlu'r Pasg yn y Ddinas Sanctaidd. Mae'n bosibl bod yr ymweliad yn cyflawni breuddwyd bywyd, ond ar orchymyn milwr, trodd ei freuddwyd yn hunllef. Peth aflan yn halogi'r sawl a gyffyrddai ag ef oedd pren croeshoelio. Byddai hi'n amhosibl i'r dyn o Gyrene fynd yn agos at y Deml yn awr, heb sôn am gael rhan yn y dathliadau. Yn lle llawenhau gyda'r torfeydd, rhaid iddo gadw ar wahân mewn siom a gwarth. Hawdd dychmygu casineb yn ei galon at y carcharor eiddil yn ogystal â'r milwyr. Gwerth nodi'r ffaith bod Marc yn sôn am feibion Simon o Gyrene fel rhai adnabyddus wrth iddo ysgrifennu ei Efengyl yn arbennig ar gyfer yr Eglwys yn Rhufain. Y mae Llyfr yr Actau (13: 1) yn rhestru proffwydi ac athrawon yr Eglwys yn Antiochia, a fu'n gyfrifol am ddanfon Barnabas a Paul ar eu taith genhadol gyntaf at y Cenedl-ddynion, a'r ail ohonynt yw '*Simeon, a elwid Niger'*, h.y. 'dyn du'. Ai'r un Simon (Simeon) sydd yma? Ai profiad dyn a cafodd ei orfodi i gario croes Iesu oedd yn gyfrifol am y genhadaeth gyntaf i Ewrop a'r byd? Wedyn, ymhlith cyfarchion personol Paul ar ddiwedd y Llythyr at y Rhufeiniaid, ceir y frawddeg hon: "*Cyfarchwch Rwffus, sy'n Gristion dethol, a'i fam sy'n fam i minnau."* Sonia'r llyfr apocryffaidd, *Actau Pedr ac Andreas,* am y ddau frawd fel ymdeithwyr a disgyblion Andreas a Pedr ar daith genhadol.

Aeth yr orymdaith ar ei ffordd drwy strydoedd cul y ddinas ac allan trwy un o'r pyrth gan gyrraedd tomen sbwriel y ddinas, bryn gyda'r enw Aramaeg 'Golgotha' (Lle'r Benglog) ac un o leoliadau dienyddio

Jerwsalem. Tynnwyd gwisg y carcharor a'i roi o'r neilltu. Cynigiwyd iddo *'win wedi ei gymysgu â bustl'* er mwyn lleddfu'r boen ond gwrthododd ei yfed (Mathew 27: 34). Hoeliwyd ef a dau droseddwr, pob un i'w croes a'u gosod, gyda Christ yn y canol, *'ei feddrod gyda'r troseddwyr.'*[13] Daeth y gwaith i ben am naw o'r gloch y bore; dim i'w wneud bellach ond aros ac edrych a gwrando ar y dynion yn hongian yno. Gan fod y Galilead, fel y ddau arall, yn ddiogel ar ei groes, roedd gan y milwyr gyfle i droi at yr hyn a oedd yn bwysig iddynt, sef bwrw coelbren i rannu ei ddillad rhwng y criw o bedwar- ei grys, ei sandalau, ei wregys, ei dwrban a'r dilledyn mwyaf gwerthfawr, sef ei wisg allanol. *'Y maent yn rhannu fy nillad yn eu mysg ac yn bwrw coelbren ar fy ngwisg'* (Salm 22: 18).

Gweddi:
Arglwydd Iesu, clodforwn di am dy gariad gwaredigol
ac am y cyfan a wnaethost drosom.
Wrth i ni blygu mewn edifeirwch wrth y groes
cydnabyddwn yn ddiolchar ein dyled i ti.
Canys eiddom ni y pechod a ddygaist,
eiddom ni y pris a dalaist,
eiddom ni yr iachawdwriaeth a ennillaist.
Arglwydd Iesu, derbyn ein diolchgarwch
a gwna ni'n fwy teilwng o'th gariad di;
er mwyn dy gariad. Amen.

16. YR YMADRODD CYNTAF - Maddau Iddynt

Darllen: Luc 24: 323-38

Uwchben pob croes, gosodwyd gwarant dienyddio'r sawl oedd ar y groes. Ar y groes ganol, rhoddwyd yr hyn a ysgrifennodd Pilat, sef 'Brenin yr Iddewon.' Safodd y dorf o gwmpas y groes hon â'u casineb at Iesu yn ffrwydro o dan arweiniad yr archoffeiriaid, gan ei watwar yn greulon: *'O, ti sydd am fwrw'r deml i lawr a'i hadeiladu mewn tridiau, disgyn oddi ar y groes ac achub dy hun'* a *'Disgynned y Meseia, Brenin Israel yn awr oddi ar y groes, er mwyn i ni weld a chredu.'* Ond, fel y dywedodd y Cadfridog William Booth, *'Yr ydym ni yn credu ynddo am na ddaeth i lawr oddi ar y groes.'*

Yn ôl Gilbert Hart, 'Tra bod casineb a phechod yn gwneud eu gwaethaf, agorodd Iesu ddrws maddeuant i ni. Ceir holl ystyr y groes yn y weddi hon: ymwna â maddeuant gras Duw ac anwybodaeth dyn. Ond, maddeuant i bwy? - i Caiaffas ac arweinwyr y genedl, i Pilat a'r milwyr estron, i'r tyrfaoedd fu'n gweiddi am ei waed, i Jwdas a Pedr a'r lleill, i chwi a minnau a phawb arall. *'Boed ei waed arnom ni ac ar ein plant'* oedd eu cri hwythau. Atebodd gyda'i air cyntaf: *'O Dad, maddau iddynt'. 'Ni wyddant...'*

Wrth gwrs mae'n gwbl amlwg i ni eu bod yn gwybod ac yn deall. Felly, y mae hi bob amser wrth i ni sylwi ar weithredoedd drwg pobl eraill. Ond, rhaid eu bod hwythau hefyd yn eu calonnau yn gwybod ac yn deall, fel ninnau yn ein tro. Pobl falch a hunan-hyderus sydd yma yn gwbl siŵr o'u hunain. Daeth Pilat â sarhad ar eu pennau wrth iddo ysgrifennu *'Brenin yr Iddewon'*, gan bery loes i'w balchder. Ond, nid clwyfo balchder oedd pwrpas Iesu ond golchi balchder i ffwrdd. Maddeuant oedd ar waith ar y groes. *'Maddau'*, yw gweddi Crist, nid *'Anghofia'*. A all y Duw holl-wybodus anghofio? Mae'n ymddangos i mi nad anghofio a wna Duw ond cofio mewn cariad. Maddau yw swyddogaeth cariad gan ddod â daioni allan o ddrygioni. Yn lle rhoi terfyn ar y croeshoelio, gwnaeth y Duw croeshoeliedig ei ddefnyddio er mwyn ryddhau ei faddeuant a'i ras i'r byd. Sawl cwpwrdd llawn o boteli moddion sydd ar gael heb eu hagor? Sawl stôr o faddeuant sydd ar gael heb eu hagor? Wrth i rywun wneud cam â ni ddaw cyfle i ni gymryd ein lle yng ngweithgarwch maddeuant Duw. *'O Dad, maddau iddynt. Ni wyddant beth y maent yn ei wneud.'*

Gweddi:

Iesu, Oen Duw, trugarha wrthym.

Iesu, sy'n dwyn ein pechodau, trugarha wrthym.

Iesu, Iachawdwr y byd, dyro i ni dy dangnefedd. Amen.

17. YR AIL YMADRODD - Gyda Mi

Darllen: Luc 24: 39-43

Ar ôl siarad gyda'i Dad ynglŷn â'r dorf, trodd Crist ei sylw oddi wrthynt at ei gyd-ddioddefwyr. Bu Iago ac Ioan yn awyddus i fod ar ei law chwith a'i law dde, ond cysgu a wnaethant yng Ngethsemane yn lle gwylio a gweddïo, gorffwys yn lle paratoi eu hunain i fynd gydag ef. Felly, nid disgyblion ond troseddwyr, nid cyfeillion a chefnogwyr oedd ganddo yn gwmni ar Galfaria, ond gelynion i'r chwith ac i'r dde a'r ddau yn ei watwar fel pawb arall.

Gwaeddodd un: *'Onid ti yw'r Meseia? Achub dy hun a ninnau!'* Ar ôl bod yn dawel dyma'r llall yn troi yn erbyn ei gyfaill gan alw arno i adael llonydd i'w cyd-ddioddefwr ar y groes ganol. *"Onid oes arnat ofn Duw, a thithau dan yr un ddedfryd? I ni, mae hynny'n gyfiawn, oherwydd haeddiant ein gweithredoedd sy'n dod i ni. Ond ni wnaeth hwn ddim o'i le."* Wedyn, gan edrych ar y dyn yn y canol, dywedodd: *'Arglwydd, cofia fi pan ddoi i'th deyrnas.'* Daeth ateb Iesu ar unwaith: *'Yn wir, rwy'n dweud wrthyt, heddiw byddi gyda mi ym Mharadwys.'* Yn ôl yr Esgob Nathan Soderblom:[14] *'Cafwyd tair croes ar Galfaria, pob un yn wahanol iawn i'w gilydd: croes anobaith, croes edifeirwch a chroes iachawdwriaeth.'* Ni ofynnodd y troseddwr am y sedd orau. Digon oedd bod gyda Iesu - iddo ef, y troseddwr, ac i bawb sy'n caru Crist: *"Dof yn waglaw at dy groes; glynaf wrthi trwy fy oes."*[15] Yn ôl Emrys o Filan (374-397): *"Pa le bynnag y mae Crist, yno y mae bywyd ac yno y mae'r Deyrnas."*

Gweddi:
Yn holl brofiadau bywyd, wedi eu haeddu ac heb eu haeddu,
ac yn nirgelwch angau,
O Arglwydd Iesu,
boed i ni dy gael wrth ein hochr,
a chaniata i'th addewid ein cynnal
ar hyd yr awr fwyaf tywyll. Amen.

18: Y TRYDYDD YMADRODD – Dy Fab/Dy Fam

Darllen: Ioan 19: 25-27

Symudodd ei ofal oddi wrth y lleidr oedd yn marw gydag ef at y rhai fu'n cyd-fyw ag ef. Wrth ochr ei fam wrth droed y groes safodd Ioan, ei gyfaill pennaf. Druan o Mair, oni proffwydodd Simeon: *'Trywenir dy enaid di gan gleddyf'* (Luc 2: 35)? Bu cleddyf yn ei chalon mor aml wrth iddi gael ei gorfodi i wrando ar gydymdeimlad maleisus ei chymdogion am fod ei mab wedi anghofio ei gyfrifoldeb fel y mab hynaf tuag ati hi a gweddill y teulu a mynd i ffwrdd i grwydo'r wlad. Daeth â gwarth ar ei phen wrth ddweud yn gyhoeddus: *'Pwy yw fy mam?... yr un sy'n gwneud ewyllys fy nhad yn y nefoedd.'* Yn awr, rhaid iddi sefyll wrth ei groes gyda chroes arall yn ei chalon; unigrwydd mam yn galaru am ei phlentyn yn marw yn y fath fodd. Wrth ei hochr safodd ei gyfaill agosaf, Ioan, *'y disgybl y bu yn ei garu'*. Edrychodd arnynt gyda thosturi: *'Dyma dy fab... dyma dy fam.'* Rhoddodd y naill i ofal y llall, fel anrhegion, gan greu cyfle iddynt ddefnyddio eu cariad ato ef i garu ei gilydd. Mae'r ddau i rannu'r galar a'r cofio, y gobaith a'r llawenydd a'r tangnefedd - ei roddion ef iddynt. Oni ddywedodd y mab a'r cyfaill oedd yn awr ar y groes: *"Yn wir rwy'n dweud wrthych, nid oes neb a adawodd dŷ' neu frodyr neu chwiorydd neu fam neu dad neu blant neu diroedd er fy mwyn i ac er mwyn yr Efengyl, na chaiff dderbyn ganwaith cymaint yn awr yn yr amser hwn, yn dai a brodyr a chwiorydd a mamau a phlant a thiroedd, ynghyd ag erledigaethau, ac yr oes sy'n dod, fywyd tragwyddol"* (Marc 10: 29-30). Onid darlun Crist o'i eglwys sydd yma? – teulu newydd, teulu gras a ffydd: *"Os bydd gennych gariad tuag at eich gilydd, wrth hynny y bydd pawb yn gwybod mai disgyblion i mi ydych."* (Ioan 13: 35).

Gweddi:
Dduw grasusol a thragwyddol,
edrych yn dy drugaredd ar dy deulu
y bu ein Harglwydd Iesu Grist yn fodlon cael ei fradychu er ei fwyn,
a'i roi yn nwylo pechaduriaid a dioddef angau'r groes;
ac y mae'n fyw ac yn cael ei ogoneddu gyda thi
yn undod yr Ysbryd Glân, un Duw, yn awr a hyd byth. Amen.

19. Y BEDWERYDD YMADRODD –
Paham y'm gadewaist?

Darllen: Marc 15: 35-50

Amcangyfrifir i dair awr fynd heibio rhwng y tri ymadrodd cyntaf a'r pedwar olaf, gyda distawrwydd llethol o gwmpas y groes ganol yn y cyfamser. Aeth y prynhawn yn dywyll fel petai byd natur am guddio'r hyn oedd yn digwydd. Ond, yn sydyn, torrwyd ar y tawelwch gan waedd o ing: *'Fy Nuw, fy Nuw, paham y'm gadewaist?'*

Cri o ddiffeithdra, trallod ac unigrwydd llethol! Dyma'r gwir erchylltra yng nghroeshoelio Iesu Grist - nid y fflangellu, yr hoelion, y poeri, y gwawdio a'r gwres, nid y poen corfforol sydd y tu hwnt i ddychymyg y rhan fwyaf ohonom, ond yr ymdeimlad o fod yn amddifad, wedi ei wrthod, ar wahân i bawb a heb Dduw. Dyfynnodd eiriau o Salm 22. Daw'r Salm honno i ben gyda geiriau o gysur ond ni cheir unrhyw awgrym o gysur yma. Am y tro cyntaf, collodd Crist ei gysylltiad â'i Dad. Mae'r berthynas ddwyfol wedi ei thorri a'r gymdeithas wedi ei chwalu. Mae'r dibechod yn yfed cwpan pechod, cwpan chwerw, chwerw. *"Ni wybu Crist beth oedd pechu, ond gwnaeth Duw ef yn un â phechod drosom ni"* (2 Corinthiaid 5: 21). Dyma *"Oen Duw yn cymryd ymaith bechod y byd"*, gan dalu pris mawr i gyflawni'r gwaith. Er bod yna ddyn bob ochr iddo yn dioddef yr un gosb, er bod yna dorf o gwmpas y groes, er bod ei fam a chyfeillion gerllaw, eto, y mae ar ei ben ei hun, yn dioddef unigedd llwyr. Amhosibl i ddyn ei helpu, ac yr oedd llais Duw yn ddistaw iddo. Roedd yn amddifad, ynysig, unig, diobaith. Ei ddewis ef oedd rhodio'r ffordd dywyll hon er ein mwyn ni ac er mwyn cyhoeddi cariad y Tad tuag atom, ond serch hynny, ni ddaeth yr un ysmotyn o oleuni iddo. Crist sydd yma, yn defnyddio ei ewyllys rhydd i fynd i ganol canlyniadau pechod dyn er mwyn ein rhyddhau o'n caethiwed i'n heilunod. Dyma'r Mab Hynaf yn rhoi ei hun er mwyn ceisio a chadw holl blant afradlon y Tad. Cafodd Dic Evans, llywiwr Bad Achub Moelfre, gyfweliad radio yn sôn am y bad achub yn mynd at long mewn perygl. Rhaid oedd danfon un o'r criw i'r llong er bod hynny y tu hwnt o beryglus. Danfonodd Dic ei fab ei hun: *'Nid oeddwn yn medru gofyn i neb arall fynd. Roedd yn rhy beryglus. Rhaid i mi ddanfon fy mab'. 'Felly y carodd Duw y byd fel y rhoddodd efe ei unig-anedig Fab...'* (Ioan 3: 16).

Gweddi:
Wrth edrych Iesu ar dy groes.
a meddwl dyfnder d'angau loes,
pryd hyn 'rwyf yn dibrisio'r byd
a'r holl ogoniant sy ynddo i gyd.
(*Isaac Watts, efel/ William Williams*)

20. Y PUMED YMADRODD - Mae arnaf syched

Darllen: Ioan 19: 38-29

Â'r diwedd yn agosáu, dywedodd Iesu tri pheth yn gyflym, un ar ôl y llall. '*Y mae arnaf syched*', yw'r unig gyfeiriad at ei ddioddefaint corfforol enfawr. Nid dioddef er mwyn dioddef sydd yma, nid ceisio achub yr hunan, ond cyflwyno cariad Duw i'r ddynoliaeth a'i ollwng yn rhydd yn y byd. Cododd rhywun ysbwng o win chwerw ato. '*Rhoesant wenwyn yn fy mwyd a gwneud imi yfed finegr yn fy syched*' (Salm 69: 21). Yn ei wendid, derbyniodd y gwin mewn diolch, fel y derbyniodd ofal a charedigrwydd gan lawer dros dair blynedd ei weinidogaeth. Beth, tybed, yw'r neges i'n hannibyniaeth ni fel unigolion ac eglwysi (o bob enwad) wrth i ni ei weld yn derbyn caredigrwydd ar awr ei angen? O wendid Duw y daw nerth i ni.

Gweddi:
Arglwydd Iesu Grist, dioddefaist syched ar y groes; syched am ddŵr, am gyflawni amcanion Duw, am waredigaeth y byd. Caniatâ i ni ddod atat ti, ffynnon y dŵr bywiol i gael ein disychedu wrth i ni dy adnabod yn well, dy garu'n fwy, a'th ddilyn yn ffyddlonach, yn awr ac yn wastad. Amen.

21. Y CHWECHED YMADRODD - Gorffennwyd!

Darllen: Ioan 19: 30

'Yna, wedi iddo gymryd y gwin, dywedodd Iesu, 'Gorffennwyd'.'
Gorffennwyd beth? Nid cael diwedd ar ing y groes, nid gorffen tair
blynedd o'i weinidogaeth, na diweddu blynyddoedd ei fywyd daearol?
Nid 'Gorffennwyd' ond 'Cyflawnwyd' yw ystyr y Roeg gwreiddiol.
Mission accomplished! Daw'r gri 'Gorffennwyd' atom fel taran sonig
wrth iddo dorri drwy'r rhwystrau a godwyd gennym rhyngom ni a Duw.
'Y pellder oedd rhyngddynt oedd fawr, fe'i llanwodd â'i haeddiant ei
hun.'   *(John Williams, 1728-1806, Caneuon Ffydd, 347)*

Gweddi:
Molwn ac addolwn di, O Grist:
â'th groes a'th werthfawr waed
y'n gwaredaist. Amen.

22. Y SEITHFED YMADRODD – I'th ddwylo di

Darllen: Luc 23: 46

Rhyngddo ef a'i Dad oedd yr ymadrodd cyntaf o'r groes, ac at ei Dad y cyfeiriodd ei air olaf hefyd. Roedd y Ddeddf yn bendant: '*Melldigedig yw'r un sy'n marw ar bren*' (Deut. 21: 23). Ond, oddi ar y pren yn y canol, galwodd y melldigedig Un ar Dduw yn gwbl hyderus. Trodd unwaith eto at y salmau, Salm 31 y tro hwn: '*Cyflwynaf fy Ysbryd i'th law di; gwaredaist fi, Arglwydd y Duw ffyddlon.*' Ond newidiodd Iesu rhai o'r geiriau, wrth ddweud, '*Dad*' yn lle '*Arglwydd y Duw ffyddlon*'. '*Abba*' yw'r gair, sef '*Dada*'. Cofiaf fod mewn parc gwledig yn nyffryn yr Iorddonen ar ddydd o wyliau a gweld merch fach yn cerdded tuag at y pwll nofio gyda'i thad a chynnwrf ac ansicrwydd yn gymysg ar ei hwyneb; daliodd yn dynn iawn yn llaw ei thad, gan barablu yn ddi-stop mewn Hebraeg; roeddwn yn deall un gair a ddefnyddiwyd ganddi yn barhaus, '*Abba, Abba, Abba*'. Gwyddai ei bod yn ddiogel, dim ond iddi gadw ei llaw yn llaw Abba. Fe wynebodd Iesu angau fel plentyn yn mynd i gysgu, yn ddiogel ym mreichiau ei riant.

Pwrpas hyn i gyd yw cynnig i ni'r un berthynas gyda'r Tad, yr un diogelwch trwy'r groes, neu, yn hytrach, trwy'r Un a fu ar y groes. Cawn gerdded yn y goleuni at y Goleuni am iddo ef ddewis mynd i'r tywyllwch trosom. Cawn fod yn blant i Dduw am fod Mab Duw wedi dod fel Mab y Dyn a mynd i'r groes a'r bedd '*erom ni ddynion ac er ein hiachawdwriaeth ni.*'

'*Codwyd tair croes yno y dydd hwnnw a rhaid i ni ddewis un ohonynt drosom ni ein hunain. Un yw croes y Gwaredwr di-bechod, na all fod yn eiddo i ni. Croesau anedifeirwch ac edifeirwch yw'r lleill. Rhaid i ni ddewis rhwng y ddwy hyn.*'
(William Temple, 1881-1944).

Gweddi:
Cyflwynwn ein hunain i'th ddwylo di, O Dduw,
gan ymddiried yn dy ras.
Byw neu farw, llawen neu drist,
cawn fod yn wastad yn dy ofal di,
yng nghwmni Iesu Grist ein Gwaredwr. Amen.

23. Y CANWRIAD

Darllen: Marc 15: 39

Roedd y milwyr ar Golgotha o dan awdurdod canwriad. Milwr profiadol oedd y dyn hwn, wedi bod mewn brwydrau niferus, gan weld llawer o ddynion, cymrodyr a gelynion, yn marw. Rhaid ei fod hefyd yn gyfarwydd â gweld dynion yn cael eu cam-drin neu eu harteithio, a'u croeshoelio hefyd. Ond ni welodd ddyn tebyg i'r dyn ar y groes ganol erioed o'r blaen. Ar ôl iddo wylio croeshoeliad y dyn yn y canol, dywedodd: *'Yn wir. Mab Duw oedd y dyn hwn.'* Beth a olygodd y canwriad wrth ddweud hyn, nis gwn, ond siaradodd ar ran holl deulu'r Ffydd, os oedd ef yn deall ai peidio. Onid oes gan y groes neges sy'n cyrraedd yn syth i'r galon? Mae ein hoes ni yn gyfarwydd iawn â dioddefaint neu â lluniau o ddioddefaint ar y teledu; oni ddylai fod yn barod i glywed neges y groes hon gan hynny, dim ond iddo gael ei gyflwyno trwy fywyd ac ymagwedd gweision Crist dan arweiniad ei Ysbryd ef?

Yn y pellter, safodd 'y gwragedd', ffyddloniaid torcalonnus, trist, dryslyd. Ond, yno y maent, er bod deg o'r Deuddeg dyn yn absennol. Lle nad oedd meddwl amgyffred, arhosodd y galon yn ffyddlon. *'Y mae cariad perffaith yn bwrw allan ofn.'* (I Ioan 4: 18).

'A dyma len y Deml yn rhwygo yn ddwy o'r pen i'r gwaelod' (Mathew 27: 51). Hon oedd y llen yn gwahanu'r Sancteiddiolaf Le oddi wrth weddill y Deml. Yn ôl yr hanesydd Iddewig, Joseffws, roedd ei uchder yn drigain troedfedd, a'i ddefnydd yn hardd a thrwchus. Dysgwyd y bobl mai trigfan Duw ar y ddaear oedd y Sancteiddiolaf Le. Dim ond un dyn, yr archoffeiriad ei hun, oedd â'r hawl i fynd i mewn yno, a hynny unwaith y flwyddyn yn unig, sef ar Ddydd y Cymod. Gan fod y llen wedi ei rhwygo, yr oedd yn bosibl i unrhyw un edrych i mewn yno a gweld dim ond gwacter. Symudodd trigfan Duw allan o'r Deml ar Fynydd Seion at gorff dynol eiddil, yn marw ar groes ar fryn y tu allan i fur y dref. Nes ymlaen, symudodd eto at gorff dynol arall ar y ddaear, sef Eglwys Iesu Grist, i fyw ynddi, i lefaru a gweithio a dioddef a marw, ac atgyfodi trwyddi ymhob oes ac ymhob lle, i arwain ei blant i fynd yn ei gwmni ar daith adref at ei Dad ef a'u Tad hwythau.

Gweddi:

Drugarocaf Dduw,
a waredaist ac a achubaist y byd,
drwy farwolaeth ac atgyfodiad dy Fab Iesu Grist;
caniatâ i ni, drwy ein ffydd yn yr hwn a ddioddefodd ar y groes,
orfoleddu yn nerth ei fuddugoliaeth;
drwy Iesu Grist ein Harglwydd. Amen.

24. CAEL BENTHYG BEDD

Darllen: Ioan 19: 31-42;
Marc 15: 42-47

Daeth y dydd i ben i bawb wrth i'r tri condemnedig farw. Ond, yn gyntaf, rhaid cael gwared â'r cyrff aflan hyn cyn i Ŵyl sanctaidd y Pasg ddechrau. Cafodd y milwyr orchymyn i dorri coesau'r tri dyn oedd wedi eu dienyddio a gwnaethpwyd felly i'r ddau ar y tu allan er mwyn eu lladd, ond pan ddaeth y milwyr at Iesu, gwelwyd ei fod eisoes wedi marw. Trywanodd un o'r milwyr ef yn ei ystlys er mwyn gwneud yn siŵr. Yn ddiamau, yr oedd yn farw.

Yn y cyfamser, aeth Joseff o Arimathea, at Pilat a gofyn am ganiatâd i gladdu corff Iesu o Nasareth yn ei fedd ei hun. Aelod o'r Sanhedrin oedd Joseff, ond mae'n bur debyg na chafodd ei alw i'r cyfarfod y noson gynt. Dangosodd ddewrder mawr wrth fynd at Pilat. Golygai hynny sefyll o blaid troseddwr a oedd newydd gael ei ddienyddio. Byddai'r arweinwyr Iddewig yn gandryll wrth weld bod un ohonynt wedi dangos tosturi a mwy na thosturi i'r Galilead. Rhoddwyd corff Iesu mewn bedd newydd mewn gardd ac aeth ei ffrindiau i ffwrdd i alaru drosto ac am eu gobeithion coll.

Cyrhaeddodd amser rhyddhau'r milwyr o'u cyfrifoldebau. Brysiodd aelodau'r dorf adref, o'r archoffeiriad at y person mwyaf di-nod, i orffen y paratoadau olaf ar gyfer cadw'r Pasg, fel crefyddwyr da. Erbyn hyn, roedd gwteri'r Deml yn rhedeg yn goch gyda gwaed yr ŵyn a laddwyd ar gyfer cadw'r Pasg. Ni sylweddolodd neb o'r dorf iddynt sefyll gydol y dydd yn dystion o'r Bugail Da yn rhoi ei einioes drostynt fel Oen Duw yn cymryd ymaith bechodau'r byd.

'O'i gael ar ddull dyn, fe'i darostyngodd ei hun, gan fod yn ufudd hyd angau, ie, angau ar groes.' (Philipiaid 2: 8)

Gweddi:
Diolch a fo i ti, O Arglwydd Iesu Grist,
am yr holl boenau a'r gwaradwyddiadau creulon a ddioddefaist drosom ni;
am yr holl fendithion lu a enillaist inni.
O sanctaidd Iesu, drugarocaf Iachawdwr, Gyfaill a Brawd,
pâr inni dy adnabod yn gliriach, dy garu'n anwylach,
a'th ddilyn yn ffyddlonach. Amen.
(Risiart o Gaerfuddai)

YR AIL RAN - WEDI HYN

25. Y TRYDYDD DYDD

Darllen: Marc 16: 1-8 (9-18),
Mathew 28: 1-15;
Luc 24: 1-12;
Ioan 20: 1-10

Adroddir hanes atgyfodiad Iesu Grist gan y pedwar efengylydd. Ceir gwahaniaethau rhwng y gwahanol hanesion, gan beri gofid i rai. Peth cyffredin i ni yw gwrando ar bobl yn trafod yr un gêm rygbi neu raglen deledu gyda gwahaniaethau mawr rhwng disgrifiadau ac esboniadau'r naill a'r llall; anodd credu iddynt wylio'r un digwyddiad. Dyna a geir gyda'r efengylau: y mae gan y pedwar efengylydd eu negeseuon arbennig i'w rhannu gyda'u bwyslais personol eu hunain. Ni welodd yr un ohonynt yr atgyfodiad yn digwydd. Yn wir, ni fu'r un tyst i'r digwyddiad mawr hwn. Beth a wyddom ni gan hynny? Gwyddom fod Mathew, Marc a Luc yn defnyddio'r un ymadrodd, rhywbeth anghyffredin iawn yn eu hysgrifennu: '*Y mae wedi ei gyfodi! Nid yw yma!*'

Y peth cyntaf sydd ganddynt i'w gyhoeddi yw bod y bedd yn wag - yn wag y bore hwnnw ac yn wag am byth. '*Nid yw yma!*' Chwarae teg i'r gwragedd unwaith eto; tra bod yr un-ar-ddeg dyn yn sgwlcan mewn ofn yn yr Oruwch Ystafell, aethant hwy - Mair Magdalen, Mair, Mam Iago a Salome i'r ardd at fedd newydd Joseff o Arimathea. Digon posibl mai Joseff oedd perchennog yr ardd hefyd. Dyletswydd cariad a'i gyrrodd yno yn nhywyllwch oriau mân y bore er mwyn gwneud y gymwynas olaf i'w hannwyl Arglwydd. Aethant yno i baratoi ei gorff ar gyfer ei orffwys olaf. Ar y ffordd, cofio gwnaethant fod yna faen ar draws y bedd - un llawer rhy fawr a thrwm iddynt hwy ei symud, ond ymlaen yr aethant. Ond, wedi iddynt gyrraedd, gwelsant fod eu problem wedi ei datrys. Roedd y maen wedi ei dreiglo ymaith a'r bedd yn agored. Aethant i mewn i chwilio am y corff ond dywedodd dyn ifanc wrthynt nad oedd '*Iesu, y gŵr o Nasareth a groeshoeliwyd, yno. Y mae wedi ei gyfodi; nid yw yma; dyma'r man lle gosodasant ef.*' Digon hawdd i ni ddeall eu camgymeriad, a ninnau'n dueddol o edrych am Iesu mewn mannau lle nad yw, yn arbennig gan fynd i edrych amdano yn ein gorffennol. Bu yn y gorffennol – dyna dystiolaeth y saint – ond nid yno y mae bellach. Ffaith bresennol, nid hen hanes yn unig yw'r atgyfodiad. Mae Crist yn fyw heddiw! Nid rhyfeddu at yr hwn a fu yw pwrpas ffydd, pa mor unigryw bynnag yw hynny, ond dathlu bywyd Crist heddiw, bywyd tragwyddol sydd ar gael yn awr, i ninnau fyw yma ar y ddaear ac yn ei gyflawnder yn Nheyrnas Duw. Fel y gwragedd, ein hawydd ni, i bob golwg, yw gofalu am Iesu yn ei fedd, gan gadw'n hadeiladau a'n ffurfiau eglwysig, ein addoliad a'n diwinyddiaeth yn daclus. Digwyddiad pwysig pob blwyddyn ym Madagascar yw troi esgyrn y cyndadau. Perygl rhai ohonom yw anghofio nad oes gan Grist esgyrn i ni eu troi; mae ei fedd yn wag ac wedi bod felly ers ugain canrif. Mae'n fyw yn awr - grym cariad Duw ar y ddaear. Yn ôl yn chwedegau'r ganrif ddiwethaf, disgrifiodd Martin Niemoller, carcharor Hitler dan y Trydydd Reich, ei gyd-gristnogion yn yr Almaen fel 'anffyddwyr ymarferol'. Beth amdanom ni, Cristnogion Cymru heddiw?

Mae Crist wedi ei atgyfodi! Mae'n fyw! Ond sut allwn ni gredu hynny? Yn ôl Marc, aeth y gwragedd at y bedd mewn tristwch dwfn, ingol. Dywedwyd wrthynt ei fod yn fyw ac aethant o'r bedd *'yn crynu o arswyd'*. Rhoddwyd iddynt orchymyn i fynd a dweud wrth y disgyblion ond gwrthod ufuddhau a wnaethant gan gadw'r Newyddion Da iddynt hwy eu hunain. Dyna ddiwedd gwreiddiol efengyl Marc. Faint o ddweud a gwneud y Newyddion Da sydd i'w gweld heddiw yn ein plith?

Gweddi:
Hollalluog a thragwyddol Dduw, addolwn di mewn llawenydd.
A llawenhawn fod yr hwn a fu'n groeshoeliedig, marw ac wedi ei gladdu,
yn fyw byth mwy, ein Harglwydd sy'n atgyfodedig ac yn teyrnasu.
Wrth i ni ddathlu ei fuddugoliaeth,
gweddïwn am i'w lawenydd drigo yn ein calonnau
ac i'n bywydau ddatgan ei glod.
Iddo ef y bo'r gogoniant yn oes oesoedd. Amen.
(*Frank Colquhoun***)**

26. Y GARDDWR

Darllen: Marc 16: 9-11;
Ioan 20: 1-18

Yna, cofiodd Mair Magdalen am ei dyletswydd gan fynd a dweud wrth Ioan a Pedr. Rhuthrodd y ddau at yr ardd gyda Mair yn eu dilyn. Ioan gyrhaeddodd yn gyntaf, gan sefyll y tu allan i'r bedd. Cyrhaeddodd Pedr wedyn gan fentro i mewn a gweld y llieiniau a'r cadachau a fu ar y corff. Daeth Ioan ar ei ôl gan weld a chredu! Y disgybl *'yr oedd Iesu yn ei garu'* oedd y cyntaf i gredu yn y Crist atgyfodedig.

Arhosodd Mair yn yr ardd. Edrychodd i mewn i'r bedd a gweld yr hyn a welodd y lleill, gan barhau i wylo. Ni chymerodd lawer o sylw o'r un a fu'n ei holi pan ofynnodd rhywun iddi, *'Wraig, pam wyt yn wylo?'* Meddyliodd mai'r garddwr oedd yno; pwy arall ond garddwr fyddai mewn gardd gyda'r wawr? Yn ôl y Tadau Cynnar, roedd Mair yn iawn i feddwl hynny gan fod y Dyn hwn yn agor drws Gardd Eden i'r ddynoliaeth unwaith eto. *'Syr,'* medd Mair, *'Os ti a'i cymerodd ef, dywed wrthyf lle y rhoddaist ef i orwedd, ac fe'i cymeraf ef i'm gofal.'* Rhyfeddod yn wir: Mair wyneb yn wyneb â'r person mwyaf yn ei bywyd, yr hwn a'i gwaredodd hi ac a roddodd fywyd newydd iddi, a hithau ddim yn ei adnabod. Wrth gwrs, chwilio am gorff marw yr oedd, ac am ei bod yn chwilio am yr Iesu a fu farw, yr oedd hi'n amhosibl iddi adnabod y Crist byw. Ni sylweddolodd mai Crist oedd yno am ei bod yn edrych i gyfeiriad anghywir, tua'r llawr a thua'r gorffennol. Nid yn yr ardd yr oedd ei chalon a'i ffydd ond ar y bryn ofnadwy hwnnw y tu allan i'r ddinas, yn wylo o flaen croesbren ei Harglwydd.

Pan glywodd y llais annwyl a chyfarwydd yn dweud ei henw *'Mair'*, sylweddolodd ar unwaith mai Crist oedd yn sefyll o'i blaen, h.y. llwyddodd i'w ddarganfod ar ôl i Grist ei ddarganfod hi yn yr ardd yn gyntaf. *'Ni fuasech yn chwilio amdanaf fi oni bai i mi yn gyntaf chwilio amdanoch chwi'* (Awstin Fawr). Yng ngeiriau Iesu ei hun: *'Daeth Mab y Dyn i geisio ac achub y colledig'* (Luc 19: 10). *'Rabbwni, Athro'*, medd Mair, yr hen enw annwyl – dyma'r tro olaf i deitl y disgyblion amdano gael ei ddefnyddio yn y Testament Newydd; *'Arglwydd'* a *'Crist'* oedd enw'r apostolion arno wedyn. Dechreuodd symud ato er mwyn taflu ei breichiau amdano a'i gofleidio, ond cyn iddi lwyddo i wneud hynny, dywedodd ef wrthi: *'Paid â glynu wrthyf!'* Ni all neb droi'r cloc yn ôl;

roedd dyddiau Iesu o Nasareth drosodd a phennod newydd ar fin agor. Cyn hir ni chafodd neb ei weld yn y corff, na chlywed ei lais gyda'u clustiau, na theimlo cyffyrddiad ei law. Rhaid i'w ddilynwyr o hyn allan ddibynnu ar ffydd a phrofiadau ffydd, ffydd wedi ei seilio ar realiti'r Crist byw. Rhaid iddi hi, fel holl ddilynwyr Crist, ymddiried ynddo, ufuddhau iddo, ei garu a'i wasanaethu. Rhaid i Mair a'r lleill ddysgu sefyll ar eu traed eu hunain, yng nghwmni ei gilydd, gan ymddiried eu bywydau yn gyfan gwbl i faddeuant, trugaredd a chariad Arglwydd yr hollfyd – i ras Duw. Os mai dyn, sef Ioan oedd y cyntaf i gredu, y ferch 'Mair Magdalen' oedd y cyntaf i gyfarfod â'r Crist atgyfodedig, 'ac aeth Mair i gyhoeddi'r newydd i'r disgyblion. 'Yr wyf wedi gweld yr Arglwydd,' meddai, ac eglurodd ei fod wedi dweud y geiriau hyn wrthi.' 'Pwy all gadw'n dawel gyda'r fath newyddion ar ôl y fath gyfarfod? Gwrthododd y disgyblion dderbyn yr hyn a ddywedodd Mair wrthynt. Gwell ganddynt, fel llawer un arall, ymdrybaeddu yn eu tristwch a'u heuogrwydd.

Gweddi:
Bywiol Arglwydd, Concwerwr pechod ac angau,
tyrd atom yn dy rym atgyfodedig
a gwna dy hun yn hysbys i ni.
Llefara dy air o dangnefedd i'n calonnau.
Dangos i ni dy ddwylo a'th ystlys clwyfedig
a danfon ni allan i'th wasanaethu yn nerth yr Ysbryd Glân;
er gogoniant dy enw. Amen.
(Frank Colquhoun)

27. Y FFORDD I EMAUS

n: Luc 19: 28-40

Rhywbryd yn ystod y Dydd Sul hwnnw, cerddodd deuddyn o Jerwsalem i bentref Emaus, rhyw wyth milltir i ffwrdd. Cleopas oedd enw un ohonynt; caraf feddwl mai ei wraig yw'r llall. Yr oedd Mair, gwraig Clopas, wrth y groes (Ioan 19: 25). Ond y mae yna hen draddodiad sy'n dweud mai Simon oedd enw cydymaith Cleopas. Yn ôl yr hanesydd Ewsebiws, cafodd Simon, mab Cleopas ei ethol yn esgob (neu arweinydd) Jerwsalem ar ôl marwolaeth Iago, *'brawd yr Arglwydd'*.

'Eu digalondid yn eu hwynebau' medd Luc. Digalondid hefyd oedd yn effeithio ar eu cerddediad ac yn meddiannu eu hymgom. Wrth iddynt siarad am ddigwyddiadau erchyll yr wythnos flaenorol, dyma ddyn dieithr yn dal i fyny â hwy ar y ffordd ac wedi iddo wrando arnynt am beth amser, fe ofynnodd iddynt: *'Am bwy ydych chwi'n siarad?'* Safasant mewn syndod a dweud: *'Am bwy? Rhaid mai chwi yw'r unig un fu yn Jerwsalem nad yw'n gwybod am y pethau sydd wedi digwydd yno! Am Iesu! Cafodd ei ddwyn gerbron yr archoffeiriaid ac arweinwyr y bobl ac wedyn gerbron Pilat. Fe'i croeshoeliasant ef. Ond ein gobaith ni oedd mai ef oedd i waredu Israel.'* Dyna'n gobaith, ond cawsom ein siomi'n chwerw iawn. Mae'r Arglwydd wedi marw ac mae'n gorwedd yn ei fedd. Pa werth sydd mewn gwaredwr marw? Ble cawn ni rhywun arall i roi pwys ein blinder a'n gobeithion arno?

Y cwestiwn yw, am ba fath o waredwr y buont yn disgwyl? Os mai Meseia arfog, grymus - nid rhyfedd iddynt gael eu siomi. Ni soniodd yr Iesu hwn am gasáu a lladd Rhufeiniaid, na dyrchafu Israel. Siaradodd am gyfiawnder a chariad, am faddeuant a chymod. *'Yr oeddem yn gobeithio'* ond croeshoeliwyd ef. Yn yr un ffordd, os mai dyheu yr oeddent am waredwr cysurus, di-boen, yn creu bywyd da ac esmwyth iddynt, nid rhyfedd iddynt gael siom enfawr. Oni ddywedodd Pedr ar eu rhan hwythau ac ar ein rhan ninnau: *'Ni chaiff hyn ddigwydd i ti.'* Ond, dewisodd Iesu fynd i Gethsemane a'r groes a'r bedd. Tridiau'n ddiweddarach a dwy fil o flynyddoedd wedyn, y mae yna sôn am atgyfodiad, ond y gwir realiti yw rhyfel a gormes, trachwant a chamdrin, ofn ac afiechyd a marwolaeth. Roeddem yn edrych ymlaen at fywyd cyfforddus a dymunol. *'Yr oeddem yn gobeithio…'* ond bu farw ar y groes.

Onid peth rhyfedd yw nad oeddent yn ei adnabod? Wrth gwrs, fel Mair Magdalen a'r lleill, meddwl yr oeddent am rywun marw. Dim ond y cof am ei groes a'i fedd oedd ganddynt. Claddwyd Iesu ym medd Joseff o Arimathea a rhaid iddynt gerdded adref a byw yno hebddo. Onid peth cyffredin iawn yw bod yn ddall i'r *'Duw sy'n llond pob lle, presennol ymhob man; y nesaf yw efe o bawb at enaid gwan?'*[16] Anodd derbyn y byddai eglwysi'r Gorllewin, ac yn arbennig rhai Cymru, yn eu cyflwr presennol pe byddai'r aelodau yn ymwybodol o bresenoldeb yr Arglwydd yn ein plith.

Dechreuodd y dieithryn siarad a meddiannu'r sgwrs am weddill y daith. Agorodd yr Ysgrythurau gan ddehongli rhagluniaeth Duw iddynt, onid oedd rhaid i Was Dioddefus y proffwyd Eseia ddioddef er mwyn cael rhan ym mywyd dynolryw? Oni ddaeth i faddau ac iacháu, i waredu a rhyddhau, gan gyflawni ei fwriad trwy gerdded ffordd y Groes a marw ar Galfaria? A dyma ddechrau deall ac amgyffred i'r ddau.

Wedi iddynt gyrraedd adref, estynnodd y ddau wahoddiad i'r dyn dieithr aros dros nos. Wrth iddynt eistedd i lawr i swper, dyma'r un a gafodd ei wahodd i'w cartref gymryd arno'i hun i lywyddu wrth y bwrdd fel penteulu. Cymerodd y bara a rhoi diolch a'i dorri a'i roi iddynt hwy. Cynigodd ymborth iddynt fel y gwnaeth i'r torfeydd yn yr anialwch, fel y gwnaeth mor aml i'w gyfeillion, ac fel y gwnaeth yn yr Oruwch Ystafell y noson y bradychwyd ef. *'Ac ar unwaith dyma'u llygaid yn agor a'r ddau yn ei adnabod.'* Ac yr un mor gyflym, fe ddiflannodd o'u golwg. Diflannodd eu blinder hefyd a brysiodd y ddau yn ôl yr wyth milltir i'r ddinas. Roedd ganddynt newyddion da i'w gyhoeddi, rhywbeth gwerth ei rannu â phobl eraill! *'Cawsant yr un-ar-ddeg a'u dilynwyr wedi ymgynnull… Adroddasant hwythau am hanes eu taith, ac fel yr oeddent wedi ei adnabod ef ar doriad y bara.'*

Gweddi:
O Dduw'r bywyd a'r cariad,
gwnaeth dy Fab ei hun yn hysbys i'w ddisgyblion
yn nhoriad y bara.
Agor ein llygaid fel y gwelom ef
yn ei waith gwaredol;
yr un sy'n byw ac yn teyrnasu gyda thi,
yn undod yr Ysbryd Glân,
yn un Duw, yn awr ac yn dragywydd. Amen.

28. YR ORUWCH-YSTAFELL UNWAITH ETO

Darllen: Marc 16: 1-4-18,
Mathew 28: 16-20,
Luc 24: 36-49,
Ioan 20: 19-23, Actau 1: 6-8

Araf iawn oedd y disgyblion i roi ateb cadarnhaol i'r newyddion am yr Atgyfodiad. Ni ddywedodd y gwragedd ddim wrth y disgyblion am eu profiad yn yr ardd am eu bod wedi eu harswydo. Yn nes ymlaen, anghrediniaeth llwyr oedd ymateb yr un-ar-ddeg i'r stori. Dyna'u cyflwr pan ddaeth Iesu atynt yn hwyr ar Ddydd Sul. Ar ôl eu cyfarch, dangosodd ei ddwylo a'i ystlys iddynt - a bu llawenydd mawr. Rhoddodd iddynt ei dangnefedd gan anadlu arnynt i'w gwneud yn gryf i gyflawni eu gwaith ein gwaith ninnau, a'i waith yntau.

    Pwysleisia Mathew, Marc a Luc anghrediniaeth pawb o'r disgyblion, tra canolbwyntia efengyl Ioan ar Thomas. Yn ôl Ioan, nid oedd Thomas yno ar Nos Sul yr Atgyfodiad. Gwrthododd dderbyn tystiolaeth y lleill, gan ofyn am brawf corfforol. Ymhen yr wythnos daeth Iesu atynt unwaith eto ac ar ôl iddo eu cyfarch, trodd at Thomas gan ddweud wrtho am roi ei fys yn olion yr hoelion a'i law yn ei ystlys, yng nghlwyf gwaywffon y milwr, yn un â'i ddymuniad wythnos ynghynt. Gwaeddodd Thomas: *'Fy Arglwydd a'm Duw!'* *'Gwyn eu byd y rhai a gredodd heb iddynt weld'* oedd sylw ei Arglwydd.

    Dyma'r tro olaf iddo ddod atynt yn Jerwsalem yn ôl Mathew, Marc ac Ioan. Ond, yn ôl yr *'ail ddiwedd'* i Efengyl Marc, *'ymddangosodd iddynt yn ddiweddarach'*, tra bod Mathew ac Ioan yn lleoli'r ymddangosiad nesaf, yr olaf, yng Ngalilea.

Gweddi:
O Dduw'r proffwydi, cyflawnaist dy addewid
y byddai Crist yn dioddef ac yn codi i ogoniant.
Agor ein meddyliau i ddeall yr ysgrythurau
fel y byddom ni'n dystion iddo hyd eithafoedd y ddaear.
Gofynnwn hyn drwy Iesu Grist ein Harglwydd,
sy'n byw ac yn teyrnasu gyda thi,
mewn undod a'r Ysbryd Glân,
yn un Duw yn oes oesoedd. Amen.

29. PYSGOTWYR A BUGEILIAID

Darllen: Ioan 21: 1-14

Yn ei hunangofiant, disgrifiodd y Parchedig Ddr. Norman Goodall ei ymweliad â'i gyfaill, C. H. Dodd, ar ei wely angau. Darllenodd iddo'r hanes am Iesu yn cerdded y ffordd i Emaus gyda Chleopas a'i gydymaith. Ymateb yr ysgolhaig o Wrecsam oedd: 'Y mae yna ddwy bennod o'r Ysgrythurau rwy'n eu darllen yn fwy nag unrhyw un arall. Rydym newydd ddarllen un - y llall yw Ioan 21. I mi, y rhai hyn yw'r mwyaf hunan-ddilys (*self-authenticating*) o'r holl dystiolaethau i'r Atgyfodiad.'[17]

Sôn y mae'r bennod hon am ddiwedd cenhadaeth Crist ym mywyd, marwolaeth ac atgyfodiad Iesu o Nasareth, a dechrau cenhadaeth Crist ym mywyd ei Eglwys. Bu'r disgyblion gyda Iesu am dair blynedd a dyma'r cyfnod hwnnw yn dod i ben; dyma eu 'seremoni graddio'. Heddiw y daeth cyfnod eu prentisiaeth yng nghwmni'r Meistr i ben. Nid disgyblion mohonynt bellach ond apostolion, *'rhai sy'n cael eu danfon'*. Rhaid cofio'r yn pryd, na chaewyd ysgol y Meistr y diwrnod hwnnw ar lan mor Galilea. Mae'r ysgol hon wedi para a thyfu dros y canrifoedd gan fod y Meistr yn dal i alw disgyblion eraill ato a'u hanfon allan i weithio drosto.

Dychwelodd y Disgyblion i Galilea. Tu cefn iddynt yr oedd trawma Jerwsalem, sef yr hyn a ddigwyddodd i Iesu yn ogystal â'r hyn a ddigwyddodd iddynt hwy, bob un. Onid o blith y Deuddeg y daeth y brad, y gwadu a'r troi cefn, gan adael y Meistr yn gwbl amddifad yn nwylo ei elynion? Pan ddiffoddwyd Goleuni'r Byd ar Galfaria cafodd gobaith, hyder a hunan-barch y disgyblion eu diffodd hefyd. Yna, ar ddiwrnod cyntaf yr wythnos, daeth y gwragedd a dweud ei fod yn fyw, ond ffolineb oedd y fath siarad. Wedyn, daeth yr Arglwydd ei hun atynt i'r Oruwch Ystafell, gan fynd a dod yn ddirybudd nifer o weithiau yn ystod y dyddiau canlynol. Siaradodd am eu gadael a mynd at ei Dad; canlyniad hyn oll oedd eu gadael yn ansicr, yn anesmwyth ac yn ansefydlog.

Ar ei orchymyn ef y daethant adref i aros amdano, gan gyrraedd Capernaum wedi blino'n llwyr ac yn ddryslyd eu meddwl. Hir pob ymaros, ac yn arbennig yr aros hwn! Fel arfer, Simon Pedr oedd y cyntaf i gael hen ddigon o wneud dim: *'Rwy'n mynd i bysgota'*, meddai, gan dorri ar eu tawelwch blinedig. *'Awn gyda thi'*, oedd ateb parod pob un o'r chwe disgybl oedd gydag ef, ac yn ôl a hwy at y môr, y badau a'r rhwydau. Aethant yn ôl at yr hen bethau cyfarwydd, gan gael noddfa yn yr arferol, fel gweddwon yn golchi pob llestr yn y tŷ er mwyn ceisio llenwi'r gwacter. Ond, gorchymyn Crist oedd iddynt aros a disgwyl amdano; mwy neu lai'r un gorchymyn ag a roddodd iddynt yn yr Ardd. Yn yr ardd, aethant i gysgu yn lle aros, yng Nghapernaum aethant i bysgota. A phwy all eu beio hwy?

Noson o siom gawsant heb ddal dim - gwastraff amser ac egni oedd eu holl ymdrechion. Erbyn y bore, yr unig lwyth ar y bad oedd blinder a rhwystredigaeth y pysgotwyr blin a blinedig, heb yr un pysgodyn i'w ddangos am eu holl lafur. O'r diwedd, cododd yr haul y tu ôl i fryniau'r Gôlan gan roi terfyn ar noson hir a diflas. Wrth iddynt ddechrau tua Capernaum safodd dyn ar y lan ond nid adwaenwyd ef gan yr un o'r pysgotwyr. Pysgod neu absenoldeb pysgod oedd yr unig beth ar eu meddyliau. Galwodd llais arnynt o'r lan: *'Helo, fechgyn! Wedi dal rhywbeth?'* *'Na!'* oedd eu hateb swrth â rhwyd wag yn dyst o'u methiant! Cyn diwedd y dydd byddai pawb yn Nghapernaum wedi clywed am fethiant y pysgotwyr a ddychwelodd adref ar ôl rhedeg i ffwrdd o'u priod le i ddilyn Saer o'r bryniau. Peth hawdd iddynt oedd dychmygu'r chwerthin a'r tynnu coes diddiwedd gan eu cymdogion. Galwodd y llais eto: *'Bwriwch y rhwyd i'r ochr dde! Pa hawl oedd gan ddyn ar y lan i ddweud wrth bysgotwyr sut i bysgota?'* Yn ei lyfr, *'In the Steps of the Master'*, y mae gan H. V. Morton ddisgrifiad o ddau ddyn wrth eu gwaith ym môr Galilea: un yn sefyll yn y dŵr gyda'i rwyd tra bod y llall ar y lan yn dweud wrtho ble i'w bwrw hi. Gwelais innau olygfa debyg yn yr un ardal flynyddoedd lawer yn ddiweddarach. Mae'r dyn sy'n sefyll ar y lan yn gweld i lawr i ddyfnderoedd y dŵr a rhaid i'r llall ufuddhau iddo. *'Cystal gwneud!'* meddai aelod o'r criw, ac felly y bu. Er mawr ryfeddod iddynt, llenwyd y rhwyd ar unwaith gan lu o bysgod. Rhywsut, yn sydyn, adnabuwyd y llais o'r lan gan Ioan: *'Yr Arglwydd yw!'* Yn ddiymdroi gadawodd Simon Pedr bopeth a phawb arall, gan neidio i'r dŵr a nofio i'r lan, gan adael i'r lleill ddod â'r bad a'r rhwyd ar ei ôl.

Beth am y pysgod? Yn ôl Ioan, cafwyd 153 ohonynt yn y rhwyd. Sut gwyddai Ioan hynny? Rhaid bod rhywun wedi eu cyfrif - efallai mewn rhyfeddod, neu i fwynhau eu llwyddiant, neu i wneud amcangyfrif o'u gwerth, neu embaras, neu awydd i osgoi edrych i mewn i'r llygaid clir a chyfarwydd.

Esboniad arall sydd gan Jerome:[18] 'Dyma rif cyfanswm y mathau o bysgod yn holl ddyfroedd y byd.' Dynion, nid pysgod sy'n cael sylw Ioan, gan awgrymu fod y rhif o'r arwyddocâd mwyaf i'r apostolion hyn sydd ar fin eu danfon allan i'r byd i fod yn bysgotwyr dynion. A beth am y rhwyd? Pwysleisia Ioan na thorrwyd y rhwyd, mewn gwrthgyferbyniad i'r hanes am eu galwad gyntaf i ymadael â'r hen fywyd yn Luc 5. Bryd hynny, dywedodd Iesu wrth Simon Pedr i fynd allan eto ar ôl noson arall o fethiant a bwrw ei rwyd i'r dyfnderoedd; daliodd cymaint o bysgod nes peri i'r rhwyd rwygo. Ar ôl hyn, galwodd Iesu Simon Pedr i fod yn bysgotwr dynion. Nid yw gofalu am gwch a rhwydau yn ddiben ynddo'i hun i bysgotwyr; diben y cyfan yw dal pysgod. Nid dysgu Cristnogion i ofalu am eu hadeiladau a'u fframweithiau diwinyddol ac enwadol yw diben bodolaeth Eglwys Crist, ond eu paratoi a'u hanfon allan at waith y Deyrnas gan edrych ymlaen at gynhaeaf mawr y byd.

Wrth i'r disgyblion ddod i'r lan, gwelsant fod yr Arglwyd, yn ôl ei arfer, wedi paratoi ar eu cyfer – gyda thân yn llosgi a brecwast yn barod – fel y gwnaeth yn yr Oruwch Ystafell y noson y bradychwyd ef. Gofynnodd iddynt ddod â physgod o'u dalfa eu hunain. Daeth Simon Pedr â rhai gan eu gosod yn yr un badell a'r pysgod oedd yno eisoes. Y mae gan ei apostolion le arbennig ym mhob oes yn y paratoadau ar gyfer gwledd y Deyrnas.

Gweddi:
Arglwydd, dim ond un bywyd sydd gennym i'w fyw,
y bywyd a roddaist ti i ni,
y bywyd a waredaist.
Cynorthwya ni i wneud y defnydd gorau ohono,
gan beidio ei wastraffu na'i afradu.
Dangos dy gynllun i ni a'th fwriad ar gyfer ein bywydau,
a boed i ni gael ein llawenydd yn gwneud dy ewyllys di
gan dy wasanaethu holl ddyddiau ein bywyd.
Arglwydd, gwared ni rhag byw yn ofer;
er mwyn Iesu Grist. Amen.
(Frank Colquhoun, 1909-1996)

30. SIMON, MAB JONA

Darllen: Ioan 21: 15-21

Ar ôl iddynt fwyta, gofynnodd Iesu i Simon Pedr fynd gydag ef am dro ar lan y môr, mwy neu lai yn yr unfan y bu iddynt gyfarfod am y tro cyntaf tair blynedd ynghynt. Bu Pedr yn hiraethu am y cyfle hwn ac yn dychryn rhagddo'r un pryd. Dyma'r tro cyntaf i'r ddau fod yng nghwmni ei gilydd ers iddynt edrych i lygaid ei gilydd ar ôl i Simon wadu ei Arglwydd deirgwaith.

'Simon, Fab Jona', medd Iesu, 'Mr Simon ap Ioan' neu 'Mr. Simon Jones'! Mor ffurfiol! Nid Simon! Nid Pedr, y llysenw a roddodd yr Arglwydd ei hun iddo adeg eu cyfarfyddiad cyntaf. Aethant yn ôl dair blynedd, fel petai, i ddechrau eu perthynas. Dyma'r Arglwydd yn ei gyfarch megis am y tro cyntaf a chyn iddo gael amser i ymateb fe daflwyd cwestiwn ato:

'Wyt ti'n fy ngharu yn fwy na'r rhai hyn?' Gall y cwestiwn olygu un o ddau beth; yn gyntaf, 'Wyt ti'n fy ngharu yn fwy na phopeth arall' – y môr, y pysgota, a'r hen ardal?[19] 'Wyt ti? Rhedaist yn ôl at yr hen gynefin a'r hen ffordd o fyw yn ddigon cyflym. Beth am dy ffrindiau a'th dylwyth, dy gartref, dy fad, y rhwydau a'r môr? Buost neithiwr yn ôl ar yr hen lwybrau; beth am heddiw? Rhaid i ti ddewis rhwng pysgota ar fôr Galilea a dod ar fy ffordd i!' Neu, yn ail: 'Wyt ti'n fy ngharu yn fwy na'r lleill?'[20] Hynny yw, 'yn fwy na'r lleill ar y bad gyda ti neithiwr neu gyda ti yn yr Oruwch Ystafell? Ar y noson olaf honno y tyngaist lw yng nghlyw'r lleill, 'Er iddynt gwympo bob un, ni wnaf i? Dyna beth a ddywedaist Mr Simon Jones; ai dyna'r gwirionedd?' Diddorol yw sylwi bod Pedr wrth iddo ateb yn newid y ferf, gan ddefnyddio un gwahanol. Y ferf 'caru' oedd gan Iesu; wrth iddo ateb, soniodd Pedr am fod 'yn ffrind'. 'Ydwyf, Arglwydd, gwyddost fy mod yn ffrind i ti.' 'Portha fy uyn', medd Iesu, gan ddilyn pob ateb o eiddo Pedr gyda chyfrifoldeb newydd iddo.

Daeth yr ail gwestiwn ar unwaith: 'Simon, mab Ioan, wyt ti'n fy ngharu?' Cwestiwn syml y tro hwn, heb unrhyw gymariaethau! Atebodd Simon gyda'r un frawddeg ag o'r blaen: 'Ydwyf, Arglwydd, gwyddost fy mod yn gyfaill i ti.' 'Bugeilia fy nefaid', medd Iesu.

Gwell aros am funud gyda geiriau'r cwestiynau a'r atebion. Gair Groeg arbennig iawn sydd gan Ioan yng nghwestiynau Iesu, sef 'Agapas me'. 'Agape' yw gair y Testament Newydd sy'n disgrifio'r cariad sydd gan Dduw tuag at ei blant: 'Felly y carodd Duw y byd fel y rhoddodd *efe ei unig-anedig Fab...'* (Ioan 3: 16). *'Agape!'*- caru ei fyd y mae Duw, nid ymserchu ynddo. Yn ôl y Llythyr at yr Effesiaid 5: 25: *'carodd Crist yntau yr eglwys a'i roi ei hun drosti.'* Cariad Duw yng Nghrist ar y Groes sydd yma yn y gair *'Agape'.* Yn yr Oruwch-Ystafell y noson olaf honno, wedi iddo olchi eu traed, dywedodd wrthynt: *'Yr wyf wedi rhoi i chwi esiampl... carwch eich gilydd fel y cerais i chwi.'* Am y cariad hwn y sonia Crist wrth Simon Pedr. *'Wyt ti'n fy ngharu?'* Nid *Agapein* sydd yn ateb Simon Pedr ond *Philein: 'Gwyddost fy mod yn ffrind i ti.'* Yn ôl rhai ysgolheigion, nid oes yna wahaniaeth rhwng y naill ferf a'r llall. Ond dywed synnwyr cyffredin nad oes neb yn newid y ferf a ddefnyddir mewn cwestiwn wrth roi ateb ond pan deimla'r atebydd na all roi ateb uniongyrchol. Pwy, tybed, newidiodd y ferf yma, Simon Pedr neu Ioan? Onid Simon Pedr ei hun yn ei siom a'i gywilydd? *'Bugeilia fy nefaid'*, medd Iesu.

Cyn iddo gael cyfle i anadlu, daeth trydydd cwestiwn ato fel saeth, cwestiwn â'r ferf wedi newid! Yn ôl yr iaith Roeg wreiddiol, trydydd cwestiwn Crist yw: *'Simon mab Jona, wyt ti'n ffrind i mi? Ai dyna'r gwir, Simon? A fedraf ddibynnu arnat? A fedraf ymddiried i ti y cyfan yr wyf am ei roi yn dy ddwylo di? - ac, yn arbennig, a ofali di am uyn a defaid fy mhraidd?'* Yn ôl Llyfr y Diarhebion 17: 17: *'Y mae cyfaill yn gyfaill bob amser... Cydymaith a gâr bob amser.'* Gorfoda Iesu Simon Pedr i edrych i mewn i'w galon ei hun. *'Ymffrostiaist yn y ffaith dy fod yn ffrind i mi mor aml â'm gadael i lawr wedyn, a wyt yn dweud yr hyn sydd ar dy galon y tro hwn?'*

Druan â Simon Pedr! Roedd y croesholi yma'n drech nag ef a'r poen yn ei galon bron a bod yn ormod iddo. Ond poen arbennig oedd hwn – y boen o ail-agor clwyf er mwyn ei lanhau, neu hyd yn oed y broses ingol o enedigaeth. Onid dyna oedd yn digwydd ar lan y môr, sef y proses o lanhau, iachau, adfer, adnewyddu? Dyma Simon Pedr yn cael ei eni drachefn neu ei atgyfodi i fywyd newydd, bywyd tragwyddol. Roedd y cyfan yn ormod i'r disgybl, druan. *'Arglwydd, fe wyddost bob peth. Fe wyddost fy mod yn ffrind i ti.'* Mor wahanol yw'r Pedr newydd i'r hen Simon. Gadawodd yr ymffrostio a'r brolian wrth y groes, gan ddechrau dysgu ymddiried yng Nghrist. *'Dof yn waglaw at dy groes, glynaf wrthi drwy fy oes.'* [21] *'Portha fy ŵyn'*, medd Iesu.

Nid ail-adrodd geiriau tair blynedd yn ôl wnaeth Iesu y tro hwn ond rhoi cyfres o orchmynion newydd. Rhaid i Pedr a'r lleill gefnu'n llwyr ar yr hen fywyd a newid cyfeiriad. Nid galwad i fod yn bysgotwr hyd yn oed sydd ganddo yn awr ond gorchymyn i fod yn fugail praidd

Crist. Fel y bu'n rhaid i'r Crist fod yn ddyn, rhaid i'r Saer fod yn fugail, rhaid hefyd i'r pysgotwr fod yn fugail. Ni atebodd Pedr. Beth aeth trwy ei feddwl, tybed? Beth oedd ymateb y pysgotwyr eraill wrth iddynt glywed am eu galwedigaeth newydd? Wedi'r cyfan, roedd gan bysgotwyr statws mewn cymdeithas, yn arbennig y rhai fel Simon a'r lleill oedd yn berchen ar eu cychod eu hunain. Ond bugeiliaid! - pobl ar ymylon cymdeithas oedd y rhain, pobl oedd yn torri'r Saboth wrth iddynt ofalu am ddefaid pobl eraill; dynion yr anialwch, yn methu ymolchi yn ôl defodau'r Gyfraith neu lendid syml, heb unrhyw statws nac urddas yng ngolwg cymdeithas. Dim gair o ateb ganddo ond fe ddengys hanes iddo ufuddhau, fel y lleill. Tybed a fyddai Simon Pedr wedi cytuno tair blynedd ynghynt? A oedd rhaid iddo fynd drwy brofiadau'r tair blynedd yn ei gwmni cyn iddo fedru ufuddhau? Nid trawsnewid unigryw sydd yma. Disgwylia'r Bugail Mawr i holl ŵyn a defaid ei braidd gael eu gweddnewid i fod yn fugeiliaid, i gyd-fugeilio ei braidd gydag ef. Dywedodd hen fugail o Sir Faesyfed ar y radio flynyddoedd lawer yn ôl iddo feddwl bod yn 'rhaid i bob bugail fod yn hanner-oen.' Yr hyn a wnaeth Bugail Mawr y Defaid oedd byw a marw fel Oen Duw. Yn wyneb hyn, beth yw 'offeiriadaeth yr holl saint'? Onid cymdeithas gydweithredol yw'r Eglwys, yn derbyn patrwm ac arweiniad Iesu Grist a nerth yr Ysbryd Glân, gyda phob aelod a'r holl aelodaeth yn gofalu am bob chwaer a brawd yn y Ffydd, gan weithredu hefyd fel asiant cariad gwaredigol Duw trwy'r byd i gyd. Beth yw prif angen ein heglwysi heddiw? Onid gwario mwy o amser yng nghwmni'r Bugail Mawr er mwyn ei adnabod yn well ac ymddiried mwy ynddo?

Aeth Crist ymlaen i ddweud: *'Pan oeddit yn ifanc...' - pan elwaist ti gyntaf yr oeddet yn gryf, yn llawn egni a brwdfrydedd, ac yn annibynnol iawn. Rwyf wedi dy alw i'm cynrychioli fel bugail ymhlith defaid ac uyn fy mhraidd, ac i geisio a chadw fy nefaid sydd ar grwydr. Wrth i ti weithio drosof, dysgaf di beth i'w ddweud a sut i'w ddweud a gwneud a dioddef gyda mi a throsof fi. Bydd rhaid i ti golli dy annibyniaeth i ennill rhyddid. A phan ei di i Rufain fe gei di dy glymu mewn cadwyni a'th arwain ymlaen i farw drosof fi a'r praidd. Dyna dy fywyd newydd mewn cymdeithas â mi - cydweithio, cyd-ddioddef, cyd-farw a chyd-atgyfodi. Os wyt ti'n fy ngwir garu, tyrd gyda mi i lafurio dros fy Nhad a'i deyrnas. Ni chei gyflog yn y gwaith ond cyn i ti fynd allan i'w gyflawni cei rodd amhrisiadwy ganddo i'w ddefnyddio.'* "Rhodd Duw yw bywyd tragwyddol," medd Paul (Rhufeiniaid 6: 23). Roedd Pedr i ddechrau byw'r bywyd tragwyddol hwn yn awr, gan barhau i wneud hynny ar ôl ei farw a'i atgyfodi yng Nghrist.

"*Canlyn fi*", medd Iesu. A'r un alwad sydd ganddo i bawb sy'n dod ato, i fynd yn ei enw ac yn ei gwmni, i fod yn apostol. Ni fydd manylion bywyd pob un yn debyg, ond yr un yw ei alwad i bawb, galwad sy'n deillio o gariad Duw yng Nghrist ein Harglwydd croeshoeliedig ac atgyfodedig - Iesu sy'n gwybod popeth amdanom ac yn ein caru. Cawn ein galw i dderbyn faddeuant Duw ganddo. Wrth i ni fynd yn ei gwmni fe gawn ei adnabod yn well a derbyn ei ras, sef cariad at y rhai nad ydynt yn ei haeddu, gan fyw fel plant i Dduw gyda Mab y Dyn a ddaeth ar agwedd gwas i fyw a marw trosom ni a'r holl fyd, a'n galw i fod yn gyd-weision ag ef yng ngwaith ei Dad.

Ond, hyd yn oed mewn munudau mor ddwys a sanctaidd, yr oedd hi'n anodd i Simon Pedr ganolbwyntio ar eiriau'r Arglwydd. Wrth iddo droi ei ben fe welodd Ioan '*y disgybl yr oedd Iesu yn ei garu yn eu canlyn.*' Ar unwaith, Ioan oedd yn dal ei sylw ef! A bu'n rhaid iddo holi amdano: '*Arglwydd, beth am hwn?*' 'Nid dy fusnes di yw Ioan', oedd yr ateb. 'Dy waith di yw dod ar fy ôl i. *Canlyn fi!*' Braint Simon Pedr a phob Cristion arall yw "*cymryd arno iau Crist*", medd John Wesley. Mae hyn yn golygu ein bod yn fodlon iddo ef bennu ein lle a'n gwaith, ac mai ef ei hun fydd y wobr.

Gweddi:
Nid wyf mwyach yn eiddo i mi fy hun, ond i ti.
Dyro imi'r dasg a fynni,
gosod fi gyda'r neb a ewyllysi;
dod fi i weithio, dod fi i ddioddef;
gosod fi mewn gwasanaeth drosot neu tro fi heibio er dy fwyn;
dyrchafer fi neu darostynger fi drosot;
gwna fi'n gyfoethog, gwna fi'n dlawd;
dyro i mi bopeth, gad fi heb ddim;
yn ddiatal ac o'r galon yr wyf yn ildio popeth oll
i'th ewyllys a'th orchymyn di.
Ac yn awr, gogoneddus a bendigedig Dduw,
Dad, Mab ac Ysbryd Glân,
yr wyt ti'n eiddof fi a minnau'n eiddot ti.
Bydded felly.
A bydded i'r cyfamod a wnaed yn awr ar y ddaear
fod wedi ei gadarnhau yn y nefoedd. Amen.
(O Wasanaeth Cyfamod John Wesley)

31. DIWEDD A DECHRAU

Darllen: Marc 16: 14-20

Neges yr Ymgnawdoliad yw i'r Crist ddod i 'r byd i'w eni fel y dyn Iesu. Daeth gwaith Crist ym mywyd Iesu o Nasareth i ben yn awr a dyma ddiwedd hanes ei weinidogaeth ar y ddaear. Y Dyrchafael neu Esgyniad Crist yw diweddglo'r tair efengyl synoptig, gyda Christ yn danfon ei apostolion allan i ddechrau ar eu gwaith, sef bod yn gorff Crist yn eu dyddiau gyda Christnogion eraill yn cymryd eu lle ymhob cenhedlaeth. Mae stori'r Esgyniad wedi creu problemau i nifer o Gristnogion ond disgrifiad yr hanesydd Cynulleidfaol o Gaergrawnt, Bernard Lord Manning, ohono yn yr wythnosolyn *'Christian World'* oedd: 'Y mwyaf Protestannaidd o'r holl wyliau Cristnogol.'[22] Beth, gan hynny, yw neges yr Ŵyl fawr hon? I gael ateb i'r cwestiwn hwn rhaid gofyn dau gwestiwn arall, sef 'Beth yw man cychwyn yr Efengyl a beth yw ei phwrpas terfynol?' I ddeall unrhyw daith, rhaid gwybod am ei dechrau a'i diwedd.

Cred rhai bod hanes yr Efengyl wedi dechrau yn Nasareth, gyda Iesu yn ymadael â'i waith fel saer, ei gartref a'i deulu i gael ei fedyddio gan Ioan, ac yna mynd i Gapernaum ac oddi yno ar hyd a lled y wlad i gyhoeddi'r newyddion da am Dduw a'i gariad mewn gair a gweithred. Os dyna'r man cychwyn, daw'r hanes i ben yn Jerwsalem, mewn goruwch-ystafell yng nghwmni Iesu a'r Deuddeg, gydag Iesu a'i frwydr ysbrydol yng ngardd Gethsemane a dioddefiadau a marwolaeth Iesu ar y groes.

Barn pobl eraill yw bod rhaid mynd yn ôl ymhellach na hynny – i enedigaeth plentyn mewn stabl ym Methlehem a'i fywyd ar y Ddaear. Stori sy'n ymestyn o'r Nadolig i Galfaria ac ymlaen i gladdedigaeth Iesu a'i atgyfodiad o blith y meirw ar y trydydd dydd. Daw'r naill hanes a'r llall tu mewn i hanes. Gwnaeth Iesu addewid i fod gyda ni bob amser, gan addo bywyd tragwyddol i ni a galw arnom i fynd allan i'w ddilyn. Ai dyna'r Newyddion Da?

Ond nid newyddion da amdanom ni mo'r Efengyl! Newyddion Da sydd yma i ninnau a holl blant dynion ym mhob cenhedlaeth. Na, Newyddion Da am Dduw yw'r Efengyl a Newyddion Da oddi wrth Dduw. Ble mae'r man cychwyn? Nid yn Nasareth, nid ym Methlehem ond yn ôl yn y dechreuad. *"Yn y dechreuad, creodd Duw y nefoedd a'r Ddaear"*

(Genesis 1: 1). *"Yn y dechreuad yr oedd y Gair; yr oedd y Gair gyda Duw a Duw oedd y Gair'* (Ioan 1: 1).

Cyn llunio'r byd, cyn lledu'r nefoedd wen,
cyn gosod haul na lloer na sêr uwchben,
fe drefnwyd ffordd yng nghyngor Tri yn Un
i achub gwael, golledig, euog ddyn.
(Pedr Fardd, 1775-1845, Caneuon Ffydd, 527)

Dyma fan cychwyn yr Efengyl – yn Nuw ac yn natur Duw. Ble felly, mae diwedd y stori? Onid yn yr un lle, yn Nuw ei hun? Dyna awgrym Ioan wrth iddo osod hanes y golchi traed yn ei briod gyswllt: *'Dyma Iesu, ac yntau'n gwybod bod y Tad wedi rhoi popeth yn ei ddwylo ef, a'i fod wedi dod oddi wrth Dduw a'i fod yn mynd at Dduw, yn codi o'r swper...'* (Ioan 13: 3-4). Pwrpas y golchi traed a holl ddigwyddiadau eraill bywyd a marwolaeth Iesu oedd cyfieithu neges Duw i iaith y ddaear ac i esbonio'r dechrau a'r diwedd. Pwrpas yr Efengyl, hanes perthynas Duw â'i fyd, yw daearu ei gariad ym mhridd y ddaear a phrofiad plant y ddaear.

Neges ganolog yr Esgyniad yw bod y Mab mewn perthynas â'r Tad na all neb ei dorri, perthynas yn yr Ysbryd Glân. Yn yr un Ysbryd cariad a thrwy'r un Ysbryd ceir yr un perthynas rhwng Crist a ninnau na all neb na dim ei dorri. Datguddiwyd presenoldeb Duw ym mywyd ei Eglwys ac ym mywyd ei fyd. Ni ddaw'r hanes i ben mewn gwagle. Rhaid wrth ddechreuad, canol a diwedd i bob stori dda. Yn stori'r Efengyl, daeth Duw yng Nghrist i'r ddaear oddi wrth Dduw'r Tad, i gyflawni ei waith yma, ac yna dychwelyd at y Tad. Mae hanes Iesu Grist yn llawer mwy na hanes dyn da a'i hunanaberth. Diben yr Esgyniad yw codi'r llen, fel petai, er mwyn i ni weld bod ein bywyd dynol ar y Ddaear yn ymwneud â thaith y ddynoliaeth oddi wrth Dduw ac yn ôl ato.

Crist Iesu yw'r 'Mab Hynaf' a ddaeth oddi wrth y Tad i gyflawni dyletswydd pob mab hynaf, sef mynd i'r wlad bell i geisio a chadw ei frodyr a chwiorydd afradlon, gan gymryd eu lle a derbyn canlyniadau eu hafradlonwyd arno ef ei hun. Daeth i dalu'r pris i'w rhyddhau a'u harwain i gyd yn ôl at ei Dad yntau, y Tad sydd yn caru pob un o'i blant. *"Gwelodd Duw'r cwbl a wnaeth, ac yr oedd yn dda iawn"* (Genesis 1: 31) - ai sôn am ddiwedd dechrau'r creu sydd yma, neu ai edrych yr oedd Duw ar hyd hanes y greadigaeth o'r dechrau hyd at gyflawni popeth yn ôl amcanion ei gariad?

Wedyn, Iesu yw rhagredegydd yr hil ddynol. Onid dyna neges John Henry Newman (1801-1890):

O'i gariad doeth, ein Duw mewn cnawd
trychineb Adda droes
yn fuddugoliaeth Adda'r Ail
drwy ymdrech eitha'r groes.
(Caneuon Ffydd 491)

Gwnaeth Iesu Grist addewid yn yr oruwch-ystafell: *'Ac os af a pharatoi lle i chwi, fe ddof yn ôl, a'ch cymryd chwi ataf fy hun, er mwyn i chwi fod lle'r wyf fi'* (Ioan 14: 3). Pan ddaeth Crist i'r ddaear ym mherson Iesu, Duw a ddaeth atom i gael rhan ym mywyd dyn. Wrth i Grist, Mab y Dyn, fynd yn ôl at y Tad, Dyn a aeth ato er mwyn i ddynion gael lle yn ei fywyd.

Iesu hefyd yw prototeip y dyn newydd: *'Yr Oen a laddwyd cyn seiliad y byd'*, yn ôl yr hen gyfieithiad Cymraeg, *'yr Oen a laddwyd'*, medd y cyfieithiad diweddaraf (Datguddiad 13: 8). Yma y cawn gyfle i dderbyn argyhoeddiad Paul, *'Na all dim... a grëwyd ein gwahanu ni oddi wrth gariad Duw yng Nghrist Iesu ein Harglwydd'* (Rhufeiniaid 8: 39).

Dangosir hefyd mai'r *'Oen a laddwyd cyn seiliad y byd'* sydd â phob awdurdod a gallu yn ei law. Hwn sy'n gwisgo coron frenhiniaeth ond fe wnaed ar siâp coron ddrain. Yr un *"a ddygodd ein pechodau yn ei gorff ar y croesbren, er mwyn i ni ddarfod â'n pechodau a byw i gyfiawnder"* (1 Pedr 2: 24), yw Arglwydd y Nef, ein cartref, a'r ddaear ein harosfa. Ef hefyd yw Arglwydd y ddaear a'r greadigaeth oll. *'Rhoddwyd i mi bob awdurdod yn y nef ac ar y ddaear. Ewch gan hynny, a gwnewch ddisgyblion o'r holl genhedloedd... Ac yn awr yr wyf fi gyda chwi yn wastad hyd ddiwedd amser'* (Mathew 28: 18, 20).

Daw'r stori, sy'n dechrau gyda'r Nadolig i ben gyda'r Esgyniad. Er mai hon yw'r pwysicaf o holl storïau hanes, dim ond un bennod ydyw yn hanes y Creu. Symuda'r stori ymlaen at bennod arall, pennod sy'n dechrau gyda'r Pentecost. Gorseddu Crist yw'r man lle caiff yr Eglwys ei huchel gomisiwn. Trwy ras, awdurdod ac esiampl Crist, a thrwy waith yr Ysbryd Glân, swyddogaeth yr Eglwys yw byw a gweithredu'r Newyddion Da ar y ddaear, ym mhob man ac ym mhob oes. Gwnaed ni'n un gyda Christ yng nghenhadaeth Duw i'w fyd. Rhaid cadw ein traed ar y ddaear gan gyfeirio ein calon, ein meddwl a'n hewyllys at Dduw a'i ryfedd ras. I bawb sy'n ymateb i'w alwad, rhydd ei gariad a'i dangnefedd er mwyn iddynt ddangos i'r byd rym gweddnewidiol ei deyrnas. Beth bynnag fydd dyfodol eglwysi ac enwadau, erys cenhadaeth Duw hyd ddiwedd amser, neu, i fod yn gywir, erys amser hyd nes i genhadaeth Duw gael ei chyflawni yn ei gariad ef.

Gogoneddiad:

Teilwng yw'r Oen a laddwyd i dderbyn
gallu, cyfoeth, doethineb a nerth,
anrhydedd, gogoniant a mawl...

I'r hwn sy'n eistedd ar yr orsedd ac i'r Oen
y bo'r mawl a'r anrhydedd a'r gogoniant a'r nerth
byth bythoedd. Amen.

(Datguddiad 5: 12, 13)

(Traednodiadau)

[1] F F Bruce, 'The Hard Sayings of Jesus' yn dyfynu o lyfr W M Christie, 'The Barren Figtree

[2] Diaspora – gair Groeg sy'n disgrifio gwasgariad yr Iddewon y tu allan I Balesteina

[3] Arthur Marcus Ward, gweinidog, ecwmenydd, esboniwr, awdur.

[4] Bernard Lord Manning, Christian Experience through the Centuries yn ei lyfr, Essays in Orthodox Dissent, tud. 13

[5] Fenatius Honorius Clemantius Ffornatus (c.535-c.600) Esgob Poitiers. Bardd ac emynydd.

[6] Priodas lefiraidd – deddf yn caniatau i weddw di-blant briodi brawd ei chyn-ur a bod y mab cyntaf i gymryd enw y brawd a fu farw. (Deuteronomium 25: 1-10)

[8] Ioan 12: 29

[9] Sechariah 13: 7

[10] William Temple

[11] It's God they ought to crucify instead of you and me, I said it to the Carpenter a ' hanging on the tree.

[12] Helmut Gollweitzer, The Dying and Living Lord, Llundain, 1960, tud. 33; cyf. o 'r Almaeneg (Jesu Tod Und Auferstehung) gan Olive Wyon.

[13] Eseia 53: 9

[14] Nathan Soderblom (1866-1931) Archesgob Sweden.

[15] A. M. Toplady, Rock of ages, cleft for me; cyfeithiad Alafon; Caneuon Ffydd 542.

[16] David Jones (1805-1868), Caneuon Ffydd, 76 [21] Cyfieithiad Alafon (1847-1916) o emyn A. M. Toplady (1740-1778). Nothing in my hand I bring, simply to thy cross I cling. Caneuon Ffydd 542 a 943.

[22] 'The most Protestant of all the feasts

[17] Norman Goodall, Second Fiddle, 1979, tud. 28

[18] Jerome – Ewsebiws Hieronimus Sophroniws (342-420). Meudwy asetig; ysgrifennydd i'r Pab Damasus, 382-384; sefydlodd fynachdy yn agos at Bethlehem a byw yno mewn ogof, lle cyfiethodd y Beibl 'r Lladin (Y Fwlgat); yn ol traddodiad lleol, saif Canolfan Ecwmenaidd Tantwr yno heddiw; cyhoeddodd esboniadau Beiblaidd.

[19] Cyfieithiad y New English Bible

[20] Cyfieithiad y Revised English Bible